15秒でツカみ 90秒でオトす アサーティブ交渉術

Assertive Negotiation

年間276日「研修女王」が教える

グローバリンク代表
大串亜由美
Ayumi Ohkushi

ダイヤモンド社

Prologue

「年間276日」の理由

「NO」と言っても握手はできる

「大串さん、とにかく厳しくお願いします。ビシビシ、やってください」

打合せの際、企業の人事担当者によく言われる言葉です。

確かに私は、研修でも打合せでも、ハッキリものを言います。厳しいことも言います。見た目も、かなりインパクトがあると思います。どちらかと言えば、〝こわもて〟タイプです。それでも、

「大串さんに、ぜひアサーティブ研修を――」

という声をたくさんいただきます。


クライアント企業は、業種も国籍も様々です。公的機関や福祉・医療機関からの依頼も少なくありません。

会社を起こしたのは1998年。いわゆる金融ショックの直後でした。

業界では新参。規模も小さい。もちろん、最初から順風満帆だったわけではありませんが、それをハンデと感じたことはほとんどありません。

設立間もない頃、ある大手企業の人材育成担当者から、

「選びに選びました。よそは断りました。大串さん、よろしく」

と言われて、正直、びっくりしたことがあります。理由が気になりました。

「大串さんだけが、質問してくれたからです」

まだ実績もない。もちろん、無名。他の研修会社より、立派な企画書を提出したわけではありません。

でも、その会社にとって、いま何が一番必要かを理解したいと考え、確かにたくさん質問しました。たくさん話を聞いて、自分にできることは何かと考えて、提案しました。

私は、誰に対しても、どんな場でも、ゴマすらない、へりくだらない、懇願しない。言うべきことは、ハッキリ主張します。

テレビドラマに引っ掛けてか、何人かから、

「教室の女王」

と言われたことがあります。ズバッと言い切るからでしょう。

女王と言っても、容姿・美貌で勝負はしません。

華々しい経歴や学歴、横文字の立派な資格を持っているわけでもありません。

それでも、**年間276日の依頼**があるのは、アサーティブ交渉術に、確かな効果があることを、みなさんが実感しているから。

研修を受けた後、気持ちがスッキリしているから。

そして私自身が実践して、実感しているから。

厳しいことをハッキリ言い切るのも、アサーティブ。

でも、相手を叩きのめしたり、押し倒したりしないのが、アサーティブ。

たくさん質問するのが、アサーティブ。

淡々と、ニュートラルに話すのが、アサーティブ。

だからこそ、交渉がうまくいく。――それがアサーティブの効果です。

リース会社・人事担当者の証言

「5年間で約40回、全社員の8割近くが受講。アドバイスが具体的で、的確だからリピートしています」

私自身、受講前は「交渉はアグレッシブに」と思っていました。1回こっきりの真剣勝負。でも、アサーティブに交渉すれば2回戦に持ち込める。正しい道具を使えば2回、3回と〝続く関係〟になれる。これは目からウロコでした。

大串さんと初めて会ったときの印象は、「ヘタなことを言うと、コテンパンにやられそう……」(笑)。

でも、実際は、逆でした。

辛口のアドバイスも、ストレートで的確だからスッと耳に入る。しかも「自分の仕事に、こういうシーンで活かせる」と、具体的にイメージできるように、わかりやすくアドバイスしてくれる。だから、受講者からのリピート希望も多い。研修後、顔にクエスチョンマークが浮かんでいる受講者がいない！　それが大串さんのアサーティブ研修の特徴です。

外資系ブランド企業・トレーニング担当者の証言

「奇をてらったことは、おっしゃいません。でも、〝明日から使える〟ものを、必ず、持ち帰れます！」

大串さんは、まさにアサーティブの実践者。

アサーティブに会話するメリットを体感できるから、説得力があるし、「やってみよう」と素直に思えます。奇をてらったことは、おっしゃいません。

すでにやっていること、知っているかもしれないことでも、その正しい使い方やプロセスを具体的にわかりやすく示してくださるから、ストンと腑に落ちて、「明日から使えるわ！」というものを、たくさん持ち帰れます。

当社では、付せんを使った自己分析を、お店のチャンス分析に活用している店長もいます。一つひとつの道具がきちんと消化され、浸透して、実際の仕事に活きる。これが新人からマネージャークラスまで、年間で相当数のトレーニングをお願いしている理由です。

交渉のコミュニケーションは、ビジネスの成否を決めるカギ。うまくいけば、好機をつかみ、成果も上がって、仕事が楽しくなります。逆に、うまくいかないと、余計な仕事が増えて、人間関係もギクシャクしがちです。

たとえば、プロジェクト・マネジメント、社内の意見調整、上司の操縦に、部下の教育。どれも一筋縄ではいきません。

あるいは、顧客の開拓、新製品の売り込み、難しい価格交渉に、クレーム対応。苦手意識を持っている方もいると思います。でも、

アサーティブ・コミュニケーションには、**明日から、すぐに使える**道具があります。

1つでも、2つでも、実際に使ってみると、違いを実感していただけます。

きちんとプロセスを踏めば、**言いにくいこともスッキリ言えて、相手も笑顔。気持ちよく伝えられた、あなたも笑顔**。

明日も握手できる関係が築ければ、仕事の進行がスムーズになり、やる気も、チャレンジしたい仕事の幅も広がります。

最初は小さな実感かもしれません。苦手な相手に、ささやかな「NO」を言えた（相手の気分を害することなく！）とか。「ダメだ、ダメだ！」が口グセの上司から、「それじゃあ、仕方ないな」のひと言を、引き出したとか。

その小さな成功体験が、実はコミュニケーション上達のとても大事な原動力なのです。

これから各章でご紹介する「道具」や「プロセス」には、

「なんだ、そんなことなら私だって……」

と、思うことがあるかもしれません。

でも、研修をやっていると、〝そんなこと〟をやっていない人が、どれほど多いことか。

たとえば、「お客様の話をよく聞く」。

会社の営業マニュアルに、必ず書いてあります。でも、相手の話を聞くはずが自分の話ばかりしている人、あなたの周りにもいませんか？

あるいは、「お客様の潜在的なニーズを引き出して提案につなげる」。

これも、誰もが知っている（はずの）ビジネスの基本。でも、引き出すどころか、逆に自分の考えを押しつけ、「御社にはコレが必要だと思います！」と、決めつけている人も。

基本を実行するのは、意外と難しいものです。

「じゃあ、どうすればいいの？」。

その問いに答えるのが私の仕事です。

できないことは、言いません。

みなさんの〝専門分野の力〟を高めることはお手伝いできませんが、年間276日の研修の中で、仕事をスムーズに進めるためのヒントやビジネス・コミュニケーションの基本を実践につなげる多くのツールを提供しています。

読者の方の中には、

「大手企業と知名度の低い企業では、交渉の仕方も違うはず」

「日本企業と外資系企業ではコミュニケーションの文化も違うし、同じツールは使えないのでは？」

と、思っている方もいるかもしれません。

でも、課題の根っこは、実はみなさん同じ。キャリアのある管理職も、入社したばかりの若手社員も、使いこなすべきツールはみな同じです。

アサーティブなコミュニケーションの力は、**企業の国籍を問わず、業界を問わず、**

ビジネスの舞台で仕事をするプロフェッショナルの必須ツールです。

現在、あなたがどんな会社で、どんな仕事をしていても、将来、いかなる企業・業界に転職しても（もちろん転職の面接でも！）、アサーティブな自己主張の技術は役立ちます。

本を書くのは、今回が初めてです。みなさんが、日常の様々な交渉場面で壁にぶつかったときのバイブルになればと思い、一生懸命書きました。

これまで、数々の研修で提供してきたツールをわかりやすくまとめ、実際の研修と同じように、〝おみやげ〟の多い1冊にしたいと思っています。

どんどん使って、たくさんの人から、気持ちよく「ＹＥＳ！」をもらってください。

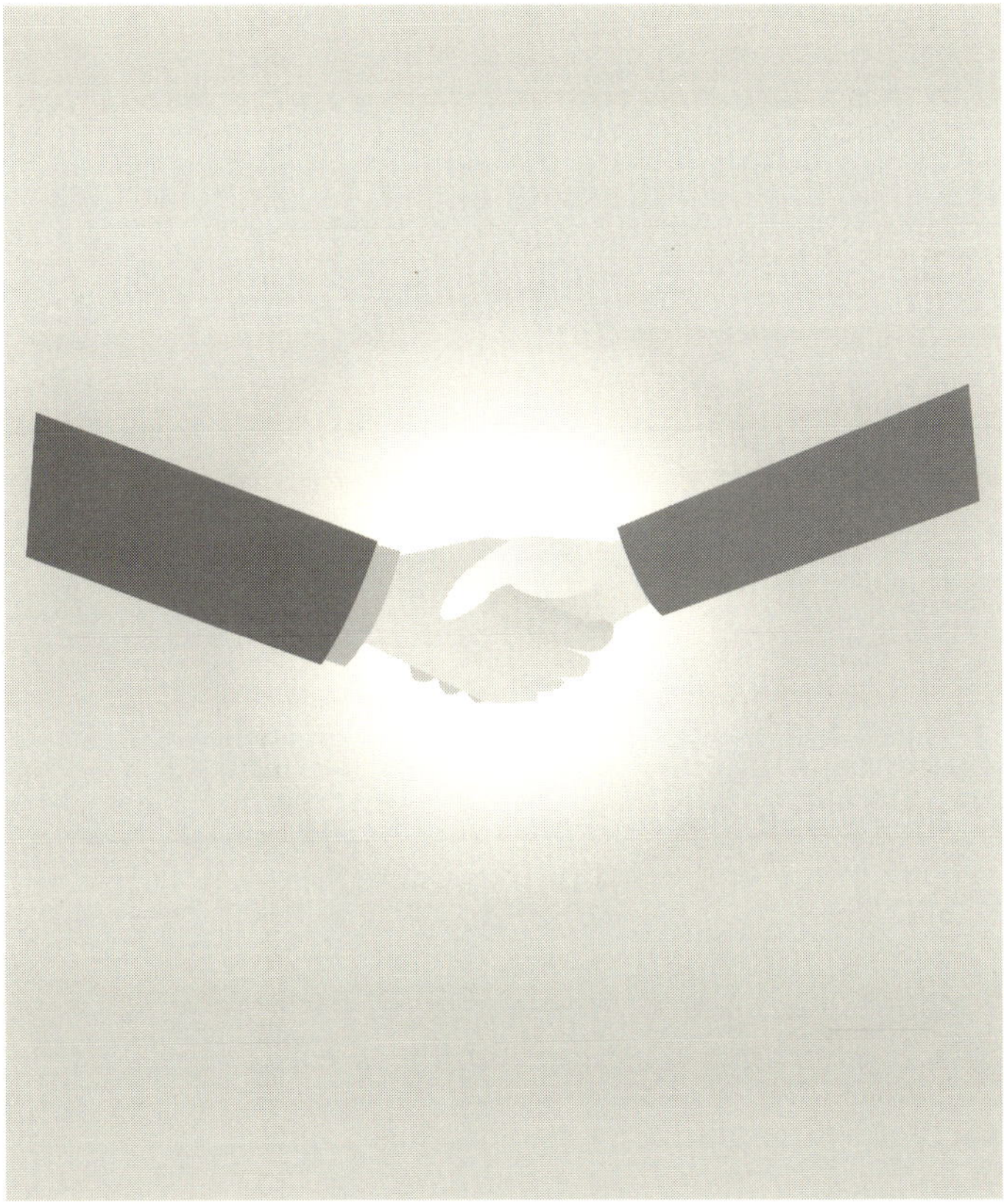

こんなこと、ありませんか？

・相手に強く言いすぎて、まとまるはずの交渉がなかなかまとまらない。
・逆に、言いたいことがハッキリ言えず、相手のペースに乗ったまま、手ぶらで帰るはめに……。
・交渉のテーブルにつくとアガってしまい、頭の中が真っ白になってしまう。
・上司をなかなか説得できず、悶々とした日々を送っている。
・部下を注意するとき、頭ごなしに怒ってしまい、部下の話をきちんと聞いてあげられない。
・ここぞ！　というプレゼンのとき、要領を得ない話し方で、相手をその気にさせられない。
・朝礼の3分スピーチで、ウケを狙いすぎ、まったくウケず、毎回討ち死にしている。
・言いにくい相手に「ＮＯ！」が言えずに困っている。

この本を読んだ後、あなたに、こんな変化が生まれるかもしれません。

・相手の目を見て、自信を持って話すことができる。
・相手を叩きのめさず、自分も叩きのめされずに、交渉のテンポがつかめる。
・ここぞ！　というときに「恥ずかしい」と思わず、堂々と自分をアピールできる。
・苦手な相手とも、間を恐れず、落ち着いて話せる。
・誰に対しても、嫌なことを嫌と言える。
・部下、あるいは上司に、自分がして欲しいことを、して欲しいと言える。
・断られても、不必要に傷つくことなく、前進できる。
・上司と部下の関係を見つめ直し、社内のコミュニケーションが徐々に変わり始める。

〈年間276日「研修女王」が教える〉
15秒でツカみ90秒でオトすアサーティブ交渉術

目次

Chapter 2 あなたの第一印象を変える「15秒スピーチ」の技術——043

――15秒で相手の〝耳の穴〟を開かせる

Chapter 4

「YES!」を引き出すアサーティブ交渉術

——4つのステップでWin-Winゴールを目指す——111

Chapter 1

アサーティブな会話で交渉の打率を上げる

——叩きのめさず、叩きのめされずに、すがすがしく自己主張するには？

「アサーティブ」ってそもそも何？

「今日こそ、**何とか**商談をまとめたい！」

脈がないわけではないのに、なかなかいい返事がもらえないこと、ありますよね。

「いい企画だと思うんだけど……。**あの人にはわからないよ**」

最初からあきらめている人もいます。

「そもそも、**俺なんか**が営業に行ったって、話を聞いてもらえるわけがない」

お客様のほうが知識も経験も豊富で、歳も上。しかも、ちょっとクセのありそうなタイプ。でも、仕事だから行かないわけにはいきません。


「**交渉の打率を上げたい！**」

誰もがそう思っています。でも、打率が上がらない理由さえわかれば、実はそれほど難しいことではありません。

「何とか」ではなく「どうすれば」を考えましょう。

「あの人にはわからない」と思っている間は、わかってもらえません。「俺なんか」と思っている人の話を、聞こうと思うでしょうか。

研修で、10分間のプレゼンテーションをやってもらうと、こう切り出す人がいます。

「すみません。それでは説明させていただきます。お忙しいとは思いますが、10分ほどですので、お付き合いいただけると幸いです」

これが、研修後には変わります。たとえば、こんな感じです。

「直接お話しできてうれしいです。せっかくの機会ですので、なるべく多くの現場の事例をお伝えします。わかりにくいところは、何なりとご質問ください」

「10分我慢して」と「なるべく多くの事例を伝えます」。

聞いてみたい！　と思うのは、どちらでしょう。やはり後者です。

「我慢」するのではなく、どんどん「質問していい」なら、たくさんのものを持ち帰れそうな期待が持てます。この期待が、交渉の打率を上げるカギを握っています。

「アサーティブ交渉術」とは、相手から気持ちよく「ＹＥＳ！」をもらうコミュニケーションの方法。**自分の仕事を、よりスムーズに、より効果的に進めるスキル**です。

アサーティブ。英語で表すと、［Assertive］。

まだまだなじみの薄い言葉かもしれません。

動詞［Assert］を辞書で引くと、「**明言する**」「**主張する**」とあります。

自分の考えをハッキリ伝えることは、ビジネスシーンでは、とても重要なことです。

でも、「自己主張」という言葉を聞いてパッと思い浮かぶのは、わがままとか、自分勝手とか、押しが強いとか。どうもマイナスのイメージがつきまといます。

「言い張る」「我を通す」、ひいては「和を乱す」――。

あなたも、周囲の人に、あるいは上司から「アイツは自己主張が強い」と言われないよう、言いたいことをついつい我慢していませんか？

言いたいことを十分に言い切れずに、心の中にモヤモヤ感が残ったとしても、

「雰囲気を壊すくらいなら、言葉を控えるほうがいい」

と考える人は少なくありません。

その一方で、

「交渉も勝負。勝たなければ意味がない！」

という人もいます。

「本当のことを言ったのに、ムッとされた」り、「逆ギレされて往生した」り。

あるいは、「断れなくて仕事が増えた」り、「うまく頼めなくて仕事が増えた」り。

どちらも、困りものです。

本当は、〝主張すること〟が悪いのではなく、〝主張の仕方〟に工夫や配慮が足りなかっただけ。「口ばかり達者で……」と言われた人の主張には、もしかすると「困ったヤツだ」とボヤいた上司にとってもプラスになる主張がたくさんあったかもしれません。

逆も、またしかり。あなたがきちんと主張しなかったことで、会社やプロジェクトだけでなく、あなた自身が大きな損失を被る可能性だってあります。

発展的で協調的な**自己主張（＝アサーティブ）は、すべきです。**

苦手な相手から「YES!」をもらうポイント

仕事柄、いろいろな立場の人から仕事の悩みを聞きます。多いのは、やはり人間関係の悩みです。

「昨日はちょっと言いすぎたかなぁ」

「もっと、ちゃんと言っておくべきだった……」

と、後悔しつつ、

「まぁ、あの人とは相性が悪いから。仕方ないよ」

と、あきらめてしまっている人もいます。

もちろん、日々仕事で付き合う相手は、相性のいい人や話のわかる人ばかりではありません。

煙たい**上司**、**苦手なクライアント**、**自分勝手な同僚**、あるいは手強い他部署の関係者。また、理解に苦しむ新入社員かもしれませんし、気難しい年上の部下かもしれません。考えただけでも、気が重くなります。

でも、**そんな彼らから「YES！」をもらうことこそ、あなたの仕事**。なぜなら、彼らの「YES！」が、あなたのアイディアや提案を実現するカギなのですから。

そのために、発展的で、協調的な「自己主張力」、明日につながる関係を築く「すがすがしいコミュニケーション力」を身につける――それが、この本のゴールです。

ポイントは4つ、あります。

①「**言い訳をしない**」
②「**優先順位をつける**」
③「**時間を区切る**」
④「**きちんと言い切る**」

たったこれだけ？　と、思うかもしれません。

でも実際は、たったこれだけのことが、なかなかできていないもの。そして、「たったこれだけのこと」ができれば、誰でも交渉の打率は上がります。

「アサーティブ」が目指すWin-Winスタイルとは

アサーティブな自己主張のゴールは、必ずしも「明日の会議であなたの主張を通すこと」ではありません。

もちろん、強引に押し切れば、明日の会議には勝てるかもしれません。

でも、相手が、

「うまいこと言いくるめられた」

「何となく損した気分……」

と感じていたら、きっと次の会議には、

「今度は慎重に話を進めよう（今度はダマされないぞ！）」

と、身構えてきます。もし、相手があなたから、

「叩きのめされた……」

と思っていたら、次回はあなたを、

「叩きのめしてやる！」

と、腕まくりしてくるでしょう。

そうなると、「YES！」をもらい続けることは、かなり難しくなります。


相手をヘコませて結果を出しても、〝次〟にはつながりません。

そのときは買ってもらえたとしても、二度、三度と注文をもらえないかもしれません。

たとえ、その場では「YES」と言ってくれても、「やっぱり、あの話はなかったことに……」と、話が振り出しに戻ることもあり得ます。


私も、こんなことがありました。

波長が合わないというか感性が違うというか、どうも相性の悪い研修担当者がいました。

それでも仕事は仕事。特別波風を立てることもなく、淡々とお付き合いを続けていました。ところが、あるとき、「やっぱり違うでしょう、その言い分は！」ということを、7連発くらい相手から要求されて、いよいよ「今日こそ、はっきり言ってあげなければ」と、私は論戦モードになりました。

結果は、ディベートもロジカル交渉術も学んでいる私の一本勝ち。

しかし、相手を完全に論破してしまったために、その企業からの翌年の研修オーダーはゼロとなってしまいました。

ある意味、嫌な相手と仕事を続ける必要がなくなったわけですから、よかったとも言えますが、「会社を運営する者」としては、必ずしもよい展開ではありません。

こんなケースもありました。

ある企業に、理論派でバリバリのいわゆる〝デキる〟営業マンがいました。仕事も早いし、売上もダントツ。そんな彼が、プロジェクトのリーダーになりました。

彼は張り切って、周りのメンバーに指示を出します。グズグズ反論する人がいれば、「だから売れないんだよ」と、ピシャリとやります。

でも、無理やり「ＹＥＳ」と言わされたメンバーは、彼が何を言っても、話を聞く前から拒絶モード。その結果、誰も動いてくれなくなってしまいました。

交渉の打率が定まらないと、仕事に支障をきたします。


しなやかに「YES！」をもらい続ける人は、決して結論を急ぎません。

そして、何がなんでも目の前の1勝にこだわるのではなく、発展的で協調的な——つまり、**明日も笑顔で握手できるような関係を築き、トータルで交渉の打率を上げるのです**。

そのために、**自分のメッセージを相手にきちんと「聞いてもらえる話」にする**ことこそ、アサーティブ・コミュニケーションの基本です。

相手が受け入れやすいよう、あなたの主張を曲げる必要はありません。

また、相手に「NO」を言わせないための材料をたくさん集めればいい、というわけでもありません。

明日につながる関係を築くには、双方にとって、そこに確かな**「価値」と「勝ち」**があることが重要です。

私の主張は、あなたにとって価値ある「Win」。あなたの「Win」が私にとっても価値ある「Win」。互いに「Win」を積み重ねることで、お互いが成長し、発展する

――これが、アサーティブな「Win-Win」のスタイル。そのために、

①相手の話が聞ける
②相手の立場を考えたうえで、きちんと主張できる
③相手のタイプに合わせたアプローチができる

――を実現するのが、アサーティブ・コミュニケーションです。

誰でも、何歳からでも、コミュニケーション力は上達する

上手なコミュニケーションには、確かな方法があります。それを状況に合わせ、相手に

合わせて使いこなすことができれば、交渉の打率は必ず上がります。

打率を上げるには、まず、3つの前提条件をクリアしていなければなりません。

①「伝えたいこと」がある
②それを伝える「意欲」がある
③伝える「スキル」がある

伝えるべきことや、もらうべき「YES」が整理され、明確になっていなければ交渉はうまくいきません。もらうべき「YES」の優先順位がわかっていても、「多分、ムリ」「言ってもムダ……」という気持ちで交渉に臨めば、それは表情にも出てしまいます。もちろん、やみくもに主張しても、相手から「YES」を引き出すことはできません。

でも、**正しい「道具」と正しい「プロセス」を知ったうえで、正しく「場数」を踏み、その都度、正しく「振り返り」**をしていけば、誰でも、何歳からでもコミュニケーション力は必ず伸びます。

アサーティブ研修の受講者は、年齢も、キャリアも、職種や業界も、実に様々です。入社したての若手社員、経験豊富な管理職、営業から介護スタッフ、接客のプロである高級ブランドの販売員から、交渉のプロである経営コンサルタントまで。

でも、研修で私が提供する「道具」は、同じです。

企業の国籍を問わず、職種・業種を問わず、どこでも使える道具。

1対1の交渉でも、プレゼンテーションや社内のミーティングでも、役立つ道具。

これを使えば、プライベートの場面でも〝変化〟を感じるはずです。

目指すは「話し上手」ではなく「聞いてもらい上手」

上手なコミュニケーションには、確かな方法があります。

でも、唯一無二の正解があるわけではありません。

人には、それぞれ個性があります。物怖じしない人、控えめな人。言葉があふれるように出てくる人、訥々と話す人。石橋を叩いて渡る人、前人未到だからこそ燃える人。それぞれが、**自分らしく交渉する**コミュニケーションの技術を身につけることが大切です。

あなたに個性があるように、交渉相手の個性も様々。相手に合わせて、会話の組立てを考えることも大切です。

相手の耳にきちんと届いてこそ「主張」。単なる「話し上手」ではなく、**「聞いてもらい上手」**を目指しましょう。

難しいことではありません。

あなたは、どんな話なら身を乗り出して、聞きますか？

自分が興味を持っている話、あるいは、困っていて、何とかしたいと思っていること。

——それは、あなたの交渉相手にとっても、同じことです。


ある企業で、若い受講者が、ガックリ肩を落として言いました。

「でも、私の上司、ちっとも私の話を聞いてくれないんです」

いろいろ話を聞いて、私は答えました。

「それは、多分、あなたがきちんと相手の話を聞いていないから」


話を聞いてもらうには、**〝相手が聞きたい話〟をする**こと。そのためには、その人が聞いてうれしいと思う言葉、ドキッとする言葉を知らないと、聞いてもらうことはできません。

つまり、**聞いてもらい上手になるには、まず〝聞き上手〟になること**。聞き上手になって、相手のことをよく知ることが重要です。「アクティブ・リスニング」（積極的、効果的に〝聴く〟スキル）と、アサーティブな自己主張は、実は2つでワンセット。どちらが欠けても相手から「ＹＥＳ！」を引き出すことはできません。

〝聞き上手〟のメリットを、私自身の経験から、一つご紹介しましょう。

とある企業で、研修の事前打合せをしたときのこと。人材育成畑で何十年のキャリアがある人事本部長が、こう切り出しました。

「いやぁ、やっぱり大事なのは、本人の**やる気**なんだよ。本人の**やる気**がなきゃ、どんな研修をしてもねぇ。結局、ダメなのよ！」

話し続けること十数分。同席していた彼の部下も、「また始まった……」という感じで、傍聴モード。私は、うなずいたり、共感したり、ビックリしたり、相づちを打ちながら、ひたすら聴いて、聴いて、聴いて――。

その後、人事本部長が繰り返し使っていたキーワードを使って、こう応えました。

「本当に、**やる気**なんですよね。**やる気**がなければ、どんなにすばらしい知識や能力を持っていても、逆にマイナスに作用しますから」。

この打合せ以降、本部長からは信頼をいただいて、プログラムに対する細かなダメ出しはなくなりました。

〝やる気〟というキーワード。

「この人は聞いてくれた。わかってくれている！」という手応え。十数分の長い話を、私がきちんと聞いたからこそ、得られた〝よい関係〟。いまも、大事にしています。

聞いてもらい上手になるために、もう一つ大事なこと。

それは、**会話におけるスタンス**です。

あなたが自分のことを、「ダメな人間だ」と思っていれば、相手も「認めるに足る人物」とは評価してくれません。

もし、あなたが相手のことを心底大事に思っていなければ、相手もあなたのことを、「そんなに大事にしてあげなくてもいい（そんな義理はない）」と考えます。

言葉に出さずとも、こうしたスタンスは、あなたの態度や言葉の端々から伝わってしまうものです。

「いやぁ、それでは〇〇さんに申し訳ないので、私も今回は遠慮しておきましょう」

相手からの申し出を断るこんなセリフ、よく聞きます。

一見、相手を大事にしているようですが、これは「Ｌｏｓｅ（負け）‐Ｌｏｓｅ（負け）」

の典型。どちらにとっても、メリットがありません。

自分も、相手も、同じように尊重する。これが、アサーティブの基本スタンスです。どちらも大事にするから、お互いにとってメリットがあり、だから「ＹＥＳ！」をもらいやすいのです。

「相手を尊重する」ということは、相手の気持ちや立場を理解しようと努める、ということ。人の気持ちやその人を取り巻く状況は、日々変化しています。わかったつもりにならないこと。きっとこうだ、と決めつけないことが大切です。

〝自分〟についてもしかり。たいていの人は、

「自分のことは、自分が一番わかっている」

と言います。

でも、本当にそうでしょうか。自分の強み、弱み、置かれている立場。あるいは希望、課題、チャンスや脅威。これらを正しく認識できているでしょうか。

自分の「Ｗｉｎ」を正しく伝えるためにも、また、相手に「Ｗｉｎ」を与えるために自分ができることを考えるうえでも、改めて自己分析をしてみましょう。

やり方は、第3章末の「チャンスを広げる自己分析」（101ページ参照）で詳しく紹介します。

「マイゴール」を決めましょう

「知っていること」と「できること」は違います。この本で学んだことを実践して、小さな違いを体感してください。

「たまたまできたこと」と「いつもできること」も違います。場数を踏んで体験値を増やせば、どんな場面でもできるようになります。

また、「時間」意識を持つことも大切です。

短い時間で簡潔に伝える。そのために、しっかり準備する。その**正しい緊張感が相手**

の耳を刺激します。

普段、何となく思っていることを紙に書き出してみると、思わぬ発見をします。

この本の巻末には、あなたの考えや普段の言動を振り返る〝付録〟があります。本の空欄を使ってもいいですし、身近にあればメモサイズの付せんを使ってみてください。1枚の紙に、アイディアや考えを一つずつ書き出していきます。書いたら全体を見渡して、整理してみましょう。意外な共通点や連関の糸が見えるはずです。

さらに、もう一つ。

次章からの実践編に入る前に、ぜひ、あなたの「ゴール」を掲げてください。人間、無目的な状態でモチベーションを高く持ち続けることは難しいもの。**あなた自身の〝なりたい姿〟**を書き出してください。

「苦手なあの人と、普通に話せるようになる」とか、

「チームをうまくまとめていく」とか、

「人前で緊張せずに話せるようになりたい」とか、

「腰の重い上司を上手に動かしたい」とか。

ゴールを決めると、具体的な状況が目に浮かんで、「あ、これ、明日からスグに使える！」と思っていただけるはずです。

それでは、さっそく、実践スキルを磨いていきましょう。

Chapter 2

あなたの第一印象を変える「15秒スピーチ」の技術

――15秒で相手の〝耳の穴〟を開かせる

なぜ、最初の15秒が大切なのか？

初対面の人に、自己紹介する――。**交渉の扉を開く、大事な一歩**です。

でも、きちんと相手の心の扉を開けていない人、短い自己紹介トークを聞いてもらえていない人が、かなりいます。

本人は伝えたつもりでも、相手に届いていない。きちんと相手に聞いてもらえていないから、名前も覚えてもらえない。

きっと何人もの同業者が、その人を訪ねてきているはずです。その中で、真っ先に名前が浮かんだり、パッと顔が浮かんで、

「そうだ、あの人に、ちょっと話してみよう」

と思ってもらうことが大事。そうすれば、チャンスをつかむ確率も、その先の交渉がうまくいく確率も、グッと高まります。

では、なぜ、あなたの話は相手に聞いてもらえないのか――。

理由の一つは、時間です。話が長いと聞いてもらえません。

もう一つは、中身です。「この人の話を聞きたい」と思わせる内容でないと、聞いてもらえません。

この人の話を**「聞いてみたい」と思ってもらうには、実は15秒あれば十分**です。
逆に言うと、15秒で相手の耳の〝穴〟を開かせ、心をツカめなければ、どんなにすばらしい自己紹介をしても、その先はほとんど聞き流されているということです。

でも、なぜ「15秒」なのでしょうか？

それは、**人が集中して聞くことのできる、ギリギリの長さ**だからです。

たった15秒なのに！　と思われるかもしれませんが、そもそも人は、それほど他人の話を「聞いていない」ものなのです。


〝15秒〟と言っても、長さをイメージできない方も多いと思います。

たとえば、こんな感じです。

「どうも、どうも。

今日はお忙しいところ、すみません。
○○社の○○と申します。
○○の後任で、御社を担当させていただくことになりました。
いやぁ、まだまだ力不足で、至らない部分もあるかと思いますが、
一生懸命やらせていただきますので、
どうか一つ、よろしくお願いします」

——これで、だいたい15秒です。

かなり早口で、一気にしゃべって、ギリギリ15秒。

でも、これではあなたがどんな人なのかがわからないので、相手の印象にも残りにくい。

とても残念な自己紹介です。


研修でも、受講者同士で15秒間の自己紹介スピーチをしてもらうと、やはり最初は自分の名前を言うだけで精一杯、という人もいます。たとえば、こんな感じです。

「えー、どうも。はじめまして。
今日はちょっと緊張してるんで、あれなんですけど、
○○支店の○○部から来ました、○○と申します。
よろしくお願いします。
えーと、いまの部署には、去年異動してきたばっかりで、
それまでは○○部にいたんですけど……」

――これで、時間切れ。実際にやってみると、**想像以上に短い**ものです。
でも、きちんと準備すれば、15秒で、相当なメッセージを伝えられます。
何をどう準備すればよいか、そのスキルを紹介していきましょう。

「15秒」を構成する5つのステップ

自己紹介は、あなたがどういう人か、どんなスキル、知識、強みを持っているかを相手に伝えることが大切です。15秒の自己紹介には、次の5つの要素を盛り込みます。

1. オープニングのあいさつ
2. 名乗り
3. セールスポイント
4. ゴール
5. クロージング

まずは話の〝中身〟から見ていきましょう。

●セールスポイント

あなたは、初対面の相手に、「あの人、〇〇でいいですね」と褒められるとしたら、どんな〇〇をもらいたいですか？

誰でも、セールスポイントはいくつかあります。その中から、**「今日、この相手に伝えるべきポイントはどれか」**を考え、思い切って一つに絞りましょう。

そして、伝え方にも気をつけましょう。

✕**「セールスポイントというほどではありませんが、実は私、ＭＢＡを持っていまして……」**

「大したことない」と言うだけ嫌味な感じがします。アピールするなら、ストレートに。

〇**「仕事に役立つと思い、ＭＢＡを取りました」**
「この分野で、３年、経験を積みました」
「数字を扱う仕事が得意です」

研修なら、こんなアピールもできます。

「書記なら、任せてください！」

「人の名前を覚えるのが得意です」

●ゴール

あなたの目指したい姿がゴールです。

「今日はとりあえず、ごあいさつということで……」

こんなことを言われたら、「じゃ、サッサと帰ってください」と言いたくなりませんか？　相手も雑談しているヒマはありません。

「新製品のメリットをお伝えしたい」

「とっておきのご提案を、お持ちしました」

「統計分析が得意です。最新データから、販促に活かせる動きをお伝えします」

セールスポイントとのつながりが見えると、話がスムーズに耳に入ってきます。

15秒しかありませんから、余計な言い訳や謙遜の表現は挟んでいられません。

「えっと……」「あのぅ……」といったツナギや、「……というか」「……みたいな」などの口グセは、バッサリ切りましょう。

意外と多いのが、「すみません」が口グセになっている人。

「すみません、始めさせていただきます」

「すみません、これで終わりです」

あなたが聞き手なら、〝すまない〟話を聞きたいと思うでしょうか。自己紹介に**「すみません」は禁句**です。

相手の耳の穴を開くオープニング——双方向は〝間〟で作る

聞いてもらえない、印象に残らない自己紹介には、理由があります。それは、ズバリ**準備不足です**。

余計なツナギが多いのも、準備不足が原因です。「えーと」「あのぅ……」と言いながら、何を言おうかと考えていること、ありませんか?

本番前に、シナリオを考え、**必ずリハーサルをしましょう**。

実際声に出して言ってみると、15秒の短さもわかります。リハーサルをしておけば、本番で必要以上にアガることもありません。

ただ、「しっかり準備しました!」と言う人の多くは、実は話の〝中身〟しか考えていません。

名乗り、セールスポイント、ゴールなどの中身も大切ですが、もっと**大切なのは、オープニングとクロージングです**。

どんなにすばらしいネタを用意していても、まずは相手の耳の穴を開かなければ、聞いてもらえません。まずは、オープニングのネタをしっかり準備してください。

オープニングのあいさつは、

「おはようございます」でも、

「こんにちは」でも、

「はじめまして」でもOK。奇をてらう必要はありません。ただ、

「こんにちは。○○部の△△ですが……」と、まくしたててしまっては、右の耳から左の耳へと抜けてしまいます。

「こんにちは」と声をかけたら、**一呼吸おいて、相手の反応を見ましょう。**

「こんにちは。……（ニッコリ）……○○部の、△△です。……（間）……」

「みなさん、……（間）……おはようございます。朝一番の新幹線で○○から来た、△△です」

目の覚めるような大きな声で、あいさつするのも一つの手。

でも、無理はいけません。あくまでも、〝あなたらしく〟いきましょう。元気に、大きな声であいさつする。あるいは、微笑みつつ、静かに入る。本社の会議に支店の代表として参加した場合は、方言で自己紹介するという手もあります。**自分らしく、端的で、キャッチーなツカみ**を工夫しましょう。

クロージングは次へのオープニング
——相手を動かす言葉で結ぶ

オープニングよりも、さらに重要なのが、クロージングです。

メッセージを伝え終わると安心するのか、クロージングがおざなりになってしまう人が目立ちます。

でも、**肝心要の会話は、自己紹介が終わったところから始まります。**

こんなクロージングはNG。

×
「以上です」
「これで終わります」
「ご清聴、ありがとうございました」

○
「今日のご提案、きっと喜んでいただけると思います」
「2日間の研修、一緒にがんばりましょう」
「よろしくお願いします！」

――と、**相手を巻き込む**、**ポジティブなクロージング**にすること。相手が動く〝仕掛け〟を作ることが大切です。

しっかり準備して、リハーサルしておけば、中身の濃い15秒になります。相手の〝耳〟を意識してシナリオを練り、ストップウォッチを片手にやってみましょう。

相手が身を乗り出す自己紹介のポイント

自己紹介をするとき、あるいは、人にものを伝えるときに大切なことが3つあります。

①優先順位をつける

言いたいことが10あったとしても、10言ったらどれも伝わりません。

優先順位をつけて、アピールするポイントを絞りましょう。

〝言わない勇気〟を持つ――これが聞いてもらえる秘訣です。

②言い訳しない

自己紹介は、自己アピール。

特技や実績、持ち味など、あなたの〝売り〟をしっかり伝えましょう。

「まだまだ力不足で」「異動したばかりなもので」「大したことはできないんですけど」

「私なんかが、こういうことを言うのもナンですが……」など、言い訳・謙遜はしないこと。

傲慢になってはいけませんが、仕事での**謙遜は、かえって相手に失礼**です。

③時間を守る

時間が主役ではありませんが、相手からの**印象を決める大きな要素**です。

15秒は、アッという間。その中で、あなたの〝売り〟を伝え、聞き手の耳を開かせるには、それなりの準備が必要です。

どれだけ準備したかで、あなたの〝本気度〟、伝えたい気持ちの強さがわかります。

どんな場面でも、誰が相手でも、この3つを守れば、最初の扉は開けられます。

冒頭で紹介した自己紹介も、たとえば、こんなふうに言い換えてはどうでしょう。

「どうも、どうも。
~~今日はお忙しいところ、すみません。~~
○○社の○○と申します。

○○の後任で、御社を担当させていただくことになりました。
いやぁ、まだまだ力不足で、至らない部分もあるかと思いますが、
一生懸命やらせていただきますので、
どうか一つ、よろしくお願いします」

「おはようございます。
○○社の○○です。
○○の後任として、うかがいました。
これまで、○○業界のお客様を3年、担当してまいりました。
お役に立ちたいと思っておりますので、
ご要望をぜひ聞かせてください。
よろしくお願いします」

どうですか？　やる気が伝わってきませんか？

これだと、何ができる人かがわかります。言葉にムダがないから、一つひとつの言葉が耳に残ります。

では、私も自己紹介しましょう。もちろん、15秒で！

CASE #1 大串亜由美の15秒スピーチ

バージョンA

「こんにちは。
グローバリンクの大串亜由美です。
大きいという字に、おだんごの串と書きます。
私の強みは早起き。目指したい姿は『価値ある人』。
みなさんに『三文以上の得』を差し上げたいと思っています。
今日は1日、どうぞよろしくお願いいたします」

バージョンB

「おはようございます。
大串亜由美です。
講師としての〝売り〟は場数。ほぼ毎日研修しています。
昨年は1年間に276日の研修。モットーは『手を抜かない』。
今日も276分の『1』ではなく、100%の力で努めます。
積極的ご参加をお願いいたします」

2つのバージョンをあげました。
どちらも、初めて研修を受ける方を想定しての自己紹介です。

会場に集まったみなさんが緊張している場合、あるいは〝**絵**〟**で物事をつかむタイプの人**には「バージョンA」のほうが効果的です。

逆に、**数字で物事を判断するタイプの人**や、「お手並み拝見」と思っている（講師としての力量を少々疑っている）相手には、「バージョンB」のように、ストレートに実績やメリットを示します。

たった15秒の自己紹介でも、**相手に合わせて、その都度、オーダーメイドする**ことが大切です。そのちょっとした努力があなたの本気度を伝え、相手の耳をこちらの話に引きつけるのです。

研修の初日、最初のひと言を発するときは、私も緊張します。

「今日の受講者は手強そうだな」とか、「(テキストをパラパラめくりながら)つまらなそうな顔をしているな」と、思うこともあります。

でも実は、研修を受ける各企業のみなさんも、隣同士初対面であったり、場の空気や展開が読めなくて、すごく緊張しているものです。

自己紹介は、こうした**知らない人と〝呼吸を交し合う〟ための道具です**。

短い時間でも、うまく呼吸を交し合うことができれば、一気にパートナーになれます。

好感度がアップする「4つのカギ」

「何を話すか」も大切ですが、それを「どう話すか」によって、相手に与える印象は大きく変わります。

第一印象を決定する要素は、話の中身、話し方、そして見た目です。

このうち、最も大きく印象を左右するのが、見た目。〝目〟でキャッチする情報です。その次に影響力を持つのが、声や話し方。これは〝耳〟でキャッチする情報です。あなたが最も心を砕いた話の内容や言葉そのものは、〝アタマ〟で理解する情報で、第一印象に占める割合は、実は1割弱と言われています。

話の中身はどうでもいい——というわけではありません。
同じスピーチでも、あなたのプレゼンテーション次第で異なる印象を与えるということ。

プレゼンテーションにも、

「なんだかイイ話が聞けそう」

「この人の話を聞いてみよう」

と、思ってもらう工夫が必要です。


好感度を上げるポイントは、4つ……。

「笑顔」「手の位置」「アイコンタクト」、そして**「間合い」です。**

笑顔

よく口だけ笑って、目が笑っていない人がいますが、これは「本心を語っていない」という印象を与えます。

ガチガチに緊張しているときに、無理に笑顔を〝作ろう〟とするのも逆効果です。顔の筋肉がひきつってしまい、「……この人、大丈夫かなぁ」と、相手を不安にさせます。

笑う必要はありません。顔、全体で友好的な表情を示しましょう。友好的で、真剣な気持ち・姿勢が伝わることが大切です。

コツは、目の力を抜いて、口角を上げること。両手の人差し指で、口角を左右、真

横に引っ張り、そのまま上へ、少し持ち上げます。そのカタチが、スマイル。そのカタチを自然に作る**合言葉は、「ラッキー、クッキー、ウイスキー」**。キー、と引っ張るところを、長く発音するのがポイントです。

手の位置

腕組み、揉み手はNGです。

後ろ手に組むのも、手の内を隠しているようで、相手に緊張感を与えます。

胸を張って、肩の力を抜いて、そのままストンと**カラダの真横に両手を落とす**。その姿勢がベスト。慣れないと、やや手持ち無沙汰な感じもしますが、たったの15秒です。やってみましょう。

胸を張って、肩の力を抜いて、そのままストンとカラダの真横に両手を落とす

アイコンタクト

苦手な人も多いと思います。でも、「目は口ほどにモノを言う」というのは本当です。

相手の目を〝凝視〟するのではなく、顔全体を、一つの絵として眺める感じ。相手の〝眼球〟ではなく、**表情を読む**つもりで。相手が複数いる場合は、1人数秒ずつ、しっかりアイコンタクトします。

友好的なアイコンタクトは、

「いま、私が話をしたいのは、他でもない、あなたです。双方にとってメリットのある、ご提案があります」

というメッセージを伝えてくれる、強い武器。

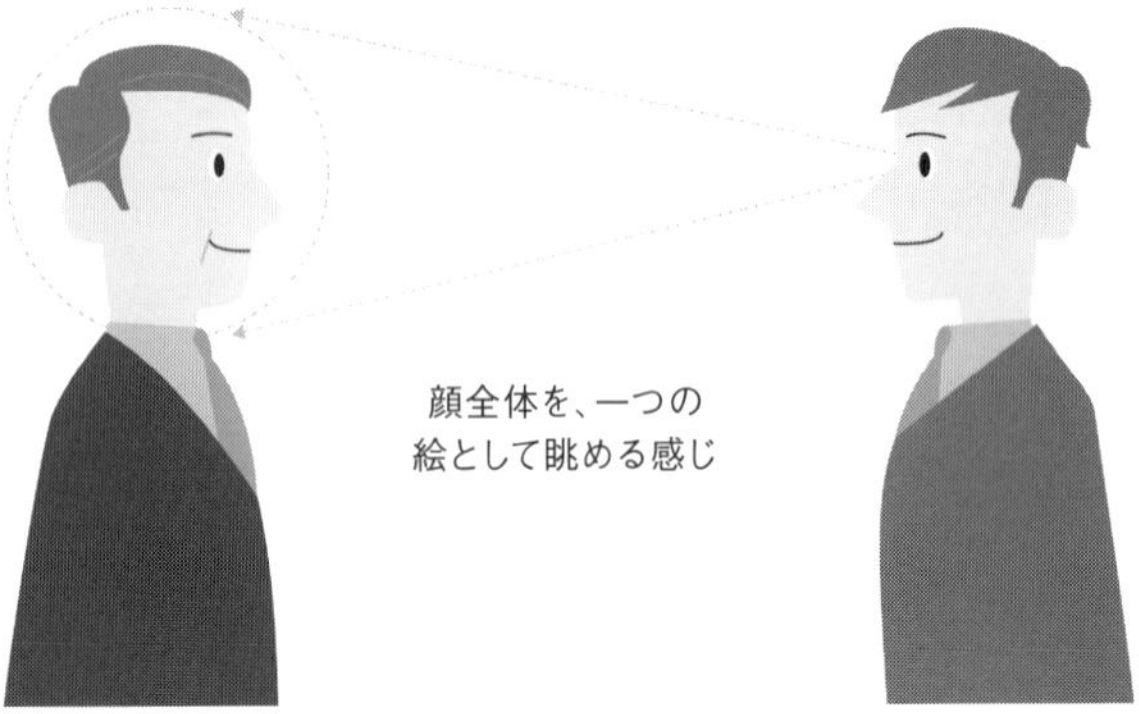

「目を合わせると緊張する……」という方もいますが、本当は逆。目が合えば、相手の気持ちも読めるし、話を「聞いてもらえている！」という手応えがつかめて、話しやすくなります。

間合い

たった15秒でも、これは〝会話〟です。あなたが投げた言葉のボールを、相手がつかんで、投げ返せるくらいの間合いを取りましょう。

適度な間がないと、「黙って聞いてりゃいいんだ」と思われてしまいます。

具体的な言葉を待つ必要はありません。**目で、「OK？」「OK！」と、やりとりする**くらいの気持ちでいきましょう。

以上が「4つのカギ」です。

リハーサルするときに、この「4つのカギ」を意識して、鏡を見ながらやってみてください。ずいぶん印象が違うはずです。

他の人が話す姿を見て、

「もう少し、ゆったり話せばいいのに」とか、

「おかしな敬語だなぁ」と、思うことはありませんか？

「シャキッと背筋を伸ばせばカッコいいのに」

「悪い人じゃないんだけど、ちょっとね……」

——でも、実はそれ、あなたかもしれません。

「人の振り見てわが振り直せ」と言いますが、人と接しているときに、自分がどういう話し方をしているか、意外と自分ではわからないものです。

「声がデカいよ」「で、要件は何？」「その話、また別の機会に」……。

そう指摘されて、まずかったなぁ、と思うことはあっても、その場限りの反省で終わる人も少なくありません。

表現のスタイルは、人それぞれ。個性があって、もちろんOKです。

しかし、**相手に不快感や緊張感を与えないスタイル、相手の耳にすんなり入っていく言葉遣いや話し方**であることが大切です。

巻末に、とっておきの〝付録〟をつけました（205ページ参照）。アサーティブな表現力を身につける、25のアドバイスです。ぜひ、試してください。

Column

人は、なぜアガるのか？

自己紹介は、自己開示。緊張して、当然！

手を抜かない、ウソをつかない、カッコつけない――。

緊張感を正しくキープすることが交渉の打率を上げるカギ！


研修で、「15秒」自己紹介のグループワークをやると、みなさん最初はとても緊張します。

一つには、時間を気にして話したことがないので、ダラダラしゃべっちゃいけない、と頭ではわかっていても、普段、自分がどれくらい長くしゃべっているのか、意外とつかめていないもの。だから、「15秒で」といきなり言われても、その長さがイメージできないのです。

コンパクトに、インパクトのある話をするには、トレーニングが必要です。

緊張するもう一つの理由は、「**自己開示のスピーチ**」だからです。

仕事の段取りを伝えるとか、営業成績を報告するとか、マニュアルを説明する場合はさほど緊張しません。それは、自分の〝素〟を見せる必要がないからです。

しかし、担当者が変わっても相手が自分のことを気づかないようでは、困ります。せっかくの提案も、「あれ、いまの人、名前なんだっけ?」では、ガッカリです。

短いながらも、しっかり記憶に残る自己紹介、「この人と仕事をしてみたい」「この人の話を聞いてみたい」と思わせるメッセージを届けて、〝顔の見える〟信頼関係を築きましょう。

「初めての人と話すのは緊張する」「人前で話すのは苦手」という人はたくさんい

ます。でも、正しい緊張感をキープすることは、実はプロフェッショナルにとって、とても重要なことです。

正しい緊張感とは、常に相手目線で、その人に何を伝えるべきかを考えながらコミュニケーションに臨む、真摯な姿勢です。

手を抜かない。ウソをつかない。カッコつけない。

その姿勢が、相手を動かすカギなのです。

人前に出ると舞い上がってしまうのは、準備が足りないか、場数を踏んでないから不安になるのか、あるいは自分をカッコよく見せたいと思っているからです。

あるがままのあなたのよさや持ち味を伝えることを心がけ、しっかり準備して正しく場数を踏めば、苦手意識は克服できます。

そのためにも、リハーサルは、本番同様、キチンと声に出してやってみること。声に出して、自分の耳で確認しましょう。

Chapter 3

相手の心を動かす最強の90秒トーク

――90秒で相手を「YES!」モードにする

なぜ、「90秒」なのか？

大勢の社員を集めての会議や表彰式のセレモニーで、司会の人が、

「まず、社長からひと言――」

と言った瞬間、場がシラけることはありませんか。

つまらない結婚式の祝辞、乾杯の音頭は、きちんと聞いてもらえません。

なぜ、つまらないかと言うと、あなたがドキッとするようなメッセージ、あなたがアクションを起こしたくなるような話、アクションを起こさなければならない理由がないからです。

でも、あなたの話も、実は同じ理由で、聞いてもらえていないかもしれません。

四半期ごとの決算会議で、

「もう少しがんばらないと、わが社は……」

と言われても、聞いている人はほとんどいません。でも、

「来期も目標を達成できなければ、このプロジェクトは解散！」

と、言われたら、どうです？　また、

「新しいインセンティブを用意しました。営業成績の上位3人にはボーナスを――」

という話なら、ピピッと耳が反応するのではないでしょうか。

あなたのことを知ってもらう、興味を持ってもらうには15秒で十分、と言いました。

でも、15秒では「相手を動かす」ことはできません。

15秒では話の〝ツカみ〟しかできませんが、90秒あれば、裏づけや理由を入れて話が相手の腑に落ちたり、あなたのストーリーの中に「自分がいる」と思ってもらえます。

相手を巻き込んでいくこと。一方的なスピーチではなく、相手の心に届く話しかけ（＝トーク）を意識しましょう。それが、90秒スピーチのゴールです。

90秒スピーチと言うと、とても短そうですが、実はかなりのメッセージを届けられます。ただし、相手がドキッとするような〝**動きのある話**〟でないと、聞いてもらえません。

ポイントは、簡潔、かつ的確で、アクティブな話にすること。

90秒の間に相手が、

「ありがとう」↓「なるほど！」↓「だったら、あなたと……」

と、言いたくなる構成にすることです。


明日、あるいは近々会う大事なクライアントの顔を思い浮かべながら、90秒のスピーチを考えてみましょう。

90秒スピーチを構成する6つのステップ

90秒スピーチに盛り込む要素は、大きく6つあります。

❶あいさつ
↓
❷名乗り
↓
❸アイスブレイク
↓
❹予告
↓
❺本論
・セールスポイント
・ゴール
↓
❻結び

まず、「**誰に**」「**何を**」「**なぜ**」**伝えたいのか**をよく考えてください。そのうえで、90秒のシナリオを組み立てます。

話をどう始めるかで、あなたの印象と〝その後〟の展開が決まります。**あいさつとアイスブレイク（お互いの緊張感を解く会話）は、相手に合わせて用意する**こと。ここが相手を動かす重要な一歩です。

先の見えない話は、相手を不安にさせます。④の「予告」は、相手を安心させ、興味を喚起する大事なステップです。

本論の**セールスポイントには「裏づけ」を、ゴールには「理由」**を添えます。裏づけには、あなた自身の経験、経歴、実績、成果を入れましょう。理由は、そのゴールを目指さなければならない〝相手にとって〟の理由を示すことが大切です。ダメな例とよい例を見てみましょう。

✕「社運を賭けた新製品を、ご紹介したい」

これは、あなた個人の理由。社運を賭けているかどうかは、相手にはまったく関係ありません。「ご紹介したい」も、あなたの希望。これでは相手不在のメッセージです。

「御社のコスト削減に役立つ新製品の特徴をご理解いただきたい」

「理解する」は、相手のアクション。コストを減らしたいと思っている人にとっては、価値あるゴールとなります。

「15秒」と同様、一方的に話してはダメです。**投げかけを入れて、双方向の会話**にします。たとえば、

「〜を、ご存じですか?」
「〜を、なさったこと、ありますか?」

など。その反応を見て、相手のレベルに合わせて話を組み立てます。そうすることで、相手に「自分のことを、きちんと見てくれている」「わかってくれている」という手応えを持ってもらうことが、その後の交渉をスムーズにする秘訣です。

話す相手や状況をイメージしつつ、見た目、姿勢、話し方など、〝デリバリー〟（届け方）も工夫してください（➡アドバイスは204ページ「付録2」参照）。

最大のポイントは、**相手が「聞きたい」ように話す**こと。

あなたが「言いたい」ことを言っても、相手は「自分が聞きたいことだけ」聞いています。メッセージは変えずに、伝え方を変えましょう。

話の組立てや、言葉の選び方、ジェスチャー、あるいは、ネクタイの色。相手をよく観察し、その人が受け止めやすい、受け止めたいと積極的に思ってもらえるボールを投げましょう。

90秒スピーチは〝プリフィックス〟スタイルで

「15秒」はインパクトを与えるスピーチ、
「90秒」は納得感を与えるスピーチ、
と捉えましょう。

90秒スピーチでは、15秒の自己紹介スピーチ以上に、相手にとっての〝オリジナル感〟を出すことが大切です。

「あなたのために、この話をしたい」
「あなただから、この話をしたい」
「私にしかできない、あなたのための提案」
だということを、90秒の中でしっかり伝えてください。

ただ、他にも山ほど仕事がある中で、会う人ごとにオリジナルなスピーチを考えるのは大変です。

そこで、90秒スピーチのデリバリー〝プリフィックス・メニュー〟を用意しました。

相手や状況に合わせ、6つの要素を各メニューから選ぶだけです。効率よく、効果的なスピーチを考えてみましょう。

▼ 90秒スピーチのプリフィックス・メニュー

基本フロー	メニュー	サンプルとポイント
あいさつ	初対面	「はじめまして」「おはようございます」「こんばんは」
	久しぶり	「○○にお会いして以来ですね」
	毎度	「こんにちは」「風邪、治りましたか？」
	必ず、双方向で！　あいさつは、1回目の大事な“キャッチボール”。いきなり「すみません」「始めます」はNG。双方向のやりとりになってこそ、あいさつ。	
名乗り	名前のインパクト	めずらしい苗字、有名人と同じ、間違われやすい字など。「大きいにお団子の串で、大串です」
	ポジションのインパクト	「○○をしています」「○○を○年、担当しています」「○○から○○部に移りました」
	優位性のインパクト	「現場でお客様に週5日、会っています」「○○を手がけました」「毎朝○○をチェックしています」
アイスブレイク	褒める	「ショップ、見てきました。売れていますね」「御社の新製品、買いました」
	ねぎらう、感謝する	「前回のイベント、お疲れ様でした」 「～の件、助かりました」
	関心の高さを示す	「○△誌で特集されていた御社の記事、読みました」「新製品、反響はどうですか？」
	近しさを表現する	共通体験、視線の方向性が同じことを示して相手との距離感を縮める。「先日のイベント、大好評で私もうれしかったです」「○○さん、私も知っています」「今期の売上、私もあと10％伸ばしたいと思っています」
	笑わす	自信があれば、ジョークもあり。ただし、本論に絡むもの、相手が「そういうこと、あるある！」と共感できるもの。ジョークでブレイクしたら、“オチ”をクロージングできちんと拾う。
予告	目的	相手のメリットで語ることが肝心。「10％コストダウンする方法をご提案します」「既存の設備を活かしつつ、作業効率を上げる方法をご提案します」。目的を数字で共有する方法と「夢を与える」「ご高齢のお客様に喜んでもらえる」など、“絵”で共有する方法がある。信頼関係が発展途上の場合は後者がお薦め。
	持ち時間	「10分、いただけますか？」「○時には終わります」
	話の流れ	「○○をご確認いただいて、○○します」
	相手への期待	「今日の会議で、役割分担まで決めましょう」
本論（セールスポイント、ゴール）	事実	「○○は10％伸びましたが、△△は5％落ちています」 「先月は3社、新たにご契約いただきました」
	セールスポイント＋裏づけ	技術、マインド、経験、成果物を示す。「○○ができます。○年やってきました」「○○を効率化できます。すでに8社からご注文いただきました」「○○を任せてください。○○においても、3年連続で昨対比5％アップを達成しました」など。
	ゴール＋理由	これも相手目線で示す。「○○を導入して、作業効率を上げていただきたいと思っています」「○○することで、10％、コストダウンできます」「新製品の特徴をご理解いただきたいと思います」。また「○○の改善をご提案します。今年は乗り切れても、2年後が心配だからです」と、やらないことによる相手のデメリットを示す方法もある。
結び	**必ず、“次”につなげる**。「○○しましょう」「○○してください」「よろしくお願いします！」	

CASE #2 大串亜由美の90秒スピーチ

研修で、この「90秒スピーチ」をやると、時間が余ってしまう人も結構います。でも、90秒間、相手の目を見て、しっかりアピールする——なんて、普段、あまりやらないことなので、最初はできなくて当たり前です。

受講者の中には、「アガリ症なんです……」と、最初から腰が引けている人もいます。でも、緊張して当然です。

たとえば、1億円の商談のとき、相手に「YES!」と言ってもらうのに、震えないほうがおかしい。上司への進言だって、ドキドキします。

誰しも、どうでもいい相手にどうでもいい話をするときは、緊張しません。〝本気〟だからこそ緊張もするし、**緊張感があるからこそ、あなたの本気度が伝わって、相手も動いてくれるのです**。

年間276日研修している私も、毎回、すごく緊張します。声も大きいし、はっきりモノを言うので、緊張しているようには見えないかもしれませんが、かなり緊張しています。

だからこそ、研修会場には毎回1時間半前に到着して、1人でブツブツと練習しています。

正しく場数を踏むことは大切ですが、手慣れて緊張感がなくなったら終わりです。私も、緊張しなくなったら講師を辞めるときだと思っています。

そんな私の90秒スピーチは、こんな感じです。

モットーは、「**握手で始めて、握手で終われる会話にする**」。

自分から手を差し出す、ポジティブな会話を目指しています。

「おはようございます。（間）……………………あいさつ
グローバリンクの大串亜由美です。……………名乗り
大きいにおダンゴの串と書いて大串と言います。
お忙しい中、時間のやりくりをして研修にご参加くださって…………アイスブレイク
ありがとうございます。
まずは、1分半お時間をいただいて、私自身についてお話しします。…………予告
「こんな講師だ」ということをご理解いただけるとうれしいです。

本論

私の強みは「早起き」。みなさん、普段、何時頃起きていますか？（間）………
私は、毎朝5時半には起きています。
「それがどうした」という感じでしょうが、
講師という仕事には、これがとっても力強い武器となっています。
ほぼ毎日、どこかの企業で研修をしていますが、
研修会場は、多少不便なところにあったりします。
こう見えても心配性なので、会場近くに1時間半前には入って、
「ブッブッブッ」と最後のリハーサルをします。
逆算すると、毎朝5時半起きが必須ということです。
1年に250日を超える研修をしていますが、
一度も寝坊したことがないのが自慢です。
目指している姿は「価値を感じさせられる人」。
研修やコンサルティングは、成果をスグに形にしにくい仕事ですので、
受けた人から「何かが変わった」とか「学びがあった」という印象を
持っていただけないと、リピートにつながりません。
バリューを実感できる仕事を目指しています。

（次ページに続く）

今日も1日、「みなさんにとってのバリュー」をゴールに努めます。…………… **結び**
みなさんも、ご自身にとってのおみやげの多い1日になるように、質問、疑問はご遠慮なくどうぞ。よろしくお願いいたします。

どうですか？　90秒あれば、かなりのことを話せます。

あいさつは「初対面」、名乗りは「名前のインパクト」。アイスブレイクは「感謝」、予告には「目的」と「持ち時間」「相手への期待」を盛り込みました。本論は「事実」ベースで、「セールスポイント＋裏づけ」を語り、「ゴール」が見える結びにしました。

研修でも、実際に、こうした「90秒」の自己紹介をしていますが、結構、聞いてもらえています。「講師の話なんだから、聞くのは当たり前だろう」と思うかもしれませんが、そんなことはありません。

受講者の中には、上司から行けと言われて、とりあえず来た人もいます。多くの人は、

「研修は退屈」だと思っています。ややコワモテ？　の講師に恐れをなしているのか、受講者の表情には緊張感も見えます。つまり、耳は緊張している。――それをほぐすのが、私の腕の見せどころです。

難しい話はしません。わかりにくい言葉も使いません。もちろん、内容や言葉は相手仕様で毎回変えます。

また、受講者を派手に笑わせて、場が必要以上に和んでも、研修はうまくいかないものです。「**クスッと笑って**」「**ほぐれる**」くらいの線を狙いつつ、これだけの話を最後まで聞いてもらうには、相当な準備と工夫が必要です。

ここからは、そのタネ明かしをしましょう。まずは、簡単にできる工夫をご紹介します。ポイントは7つです。これだけで、あなたの90秒もかなり「聞いてもらえる」スピーチに変わります。

90秒スピーチの「7つのオキテ」

其の一 エクスキューズはしない

初めてアメリカ人の前でスピーチしたとき、私は、

「ネイティブではないので、ヘタな英語を30分お聞かせしますけど、ごめんなさいね」

と、エクスキューズして、本題に入りました。いわゆる、謙遜から入るプレゼンです。

しかし、これは、

「いやいや、意外と英語、上手じゃないの」

という反応を期待している自己紹介で、実はまったく意味のないことなのです。

以来、ずっと反省していました。

この手の無意味なエクスキューズ例は、結構あります。たとえば、

「今日はお忙しいところ、すみません。実は……」


×「私なんかが、こんなことを申し上げるのも心苦しいのですが……」

「まぁ、ヒマつぶしと思って聞いていてください」

「すみません、○○させていただけると幸いです」


忙しい相手に〝ヒマつぶし〟させるのは大変失礼ですし、本当に心苦しいと思っているのなら言うな！　と言われるのがオチです。

やたらと「すみません」を連発している人もいますが、こう変えてみてください。


「今日はお忙しいところ、ありがとうございます」

○「ぜひ、聞いていていただきたいお話があります」
「○○します。よろしくお願いいたします」

「今日はいい機会を与えてもらえて、うれしいです」


謝るのではなく、感謝する。

相手にとって、聞く価値のある話だということをしっかり伝えます。

あなたの「この場を活かしたい」「この機会を活かしたい」という前向きな気持ちが伝われば、相手にも「この人と話す、あるいは一緒にいる価値がある」と思ってもらえます。

――これだけで、かなり力強いプレゼンになります。

其の二 オリジナリティのあるアイスブレイクを用意する

本題に入る前に、まず両者の間にある冷たい氷を溶かし、〝握手の関係〟を作る――これがアイスブレイクの目的です。しかし、

✕

「暑くなりましたね」

「今年も残すところ2か月ですね」

――では、「そうですね」で、話が終わってしまいます。話が広がらず、情報性もありません。

当たり障りのない話や一般論ではなく、「**相手に合わせて、相手が聞きたい話をオーダーメイドする**」のが、アイスブレイクの鉄則です。

一、二度、会ったことがある人なら、**相手の興味**に合わせてアイスブレイクします。

たとえば、サッカーが好きな人なら、

「ワールドカップ、ご覧になりました？」

「**今年のＪリーグは混戦模様ですね**」


離職率が高くて悩んでいる人事部長が相手なら、

「**適材採用と社員定着の戦略を、ご提案します**」

と、**ストレートな予告**をすることが、アイスブレイクになることもあります。

相手が小売り業の人なら、

「**先日、お店に行ってきました。すごくよくなっていましたね**」

「**これ、買いました**」

「**さっそく使っています。御社の新製品**」

とか。


もちろん、この手の話に**ウソは禁物**。さりげなさを装って、これ見よがしに、チラチラ見せるのも変ですし、くどくど言うと恩着せがましくなります。

相手は、ユーザーとしてのあなたの話が聞きたいわけではないので、相手が「あ、ホントだ！」と反応しても、深追いしてはいけません。

短く、ズバッと、「買ってみました！」だけで十分です。

また、前回、その人と会ったときにヒアリングした話から質問する手もあります。

「プロジェクトマネジメントで悩んでいらっしゃいましたね。その後、順調ですか？」

「覚えていてくれた」「気にかけてくれていた」という手応えも、信頼関係を築く芽になります。

初対面の人なら、名刺を渡しながら、

「オフィス、初台にあるんです。初台、ご存じですか？」

「（相手の名刺を見ながら）下のお名前は、○○ってお読みするんですね。この字、めずらしいですね」

「いらっしゃるとき、雨にあたりませんでしたか？」

と、言葉をかけてみます。

難しい投げかけは禁物です。「はい」「いいえ」で、**誰でも答えられる質問**にしましょう。

中には、「小難しい話の一つもしないとバカにされる——」と、思っている人もいるようですが、それは間違いです。

氷を溶かすためのアイスブレイクですから、相手が答えられなくて恥ずかしい思いをしたり、逆に「そんなことも知らないのかとバカにしているのでは……?」と、バリアを張られてしまっては意味がありません。

また、〝誰でも仕様〟のアイスブレイクでは、誰の心にも留まりません。

相手仕様で3つくらい用意し、場の空気や相手のムードに合わせて選びましょう。

自信があれば、ジョークもありです。ただし、笑わせることが目的ではないので、ウケて場が和めばOKというワケではありません。

ジョークを挟むなら、「**この人の話は聞いて安心だ**」と思わせる、リーズナブルな内容にしましょう。

クロージングでうまく拾って、「あぁ、だから、あんな話をしたんだ」と、相手が納得・感心するくらいのネタにすること。そうでなければ、避けたほうが無難です。

其の三 「昨今のビジネス環境」を語るべからず

アイスブレイクのつもりで、**余計な前フリ**を長々とする人が結構います。よくあるのが、「昨今のビジネス環境」話です。

たとえば自社の役員の前で若手社員が、

「景気は回復基調にあり、当社の経営環境にも明るさは見えるものの……」とか、

タバコ業界の人に営業するときに、

「健康志向の高まりを受けて、業界を取り巻くビジネス環境は厳しさを増しており、年々吸う人が減っていきます……」とか。

あるいは医療関係者に対して、

「少子化の時代ですから」とか、**「日本は高齢化先進国で……」**とか。

「そんなこと、(オレのほうが)よく知ってるよ!」と相手に思われたら最後。

毒にもクスリにもならない話や自分が知っている程度の話で始まるスピーチの〝先〟を聞いてくれるほど、人は忍耐強くありません。

マクロな話は、役員のほうが詳しいはずです。
もし、あなたが毎日クライアントに会って、役員よりもお客様のナマの声に接しているのならば、それがあなたの強み。

「私は毎日、少なくとも4人のお客様と会って、話を聞いています。お客様の〝声〟を持っている1人だと思います」

「タバコをやめた人、30人にヒアリングしてきました」

これなら、相手にとってもノドから手が出るほど欲しい情報です。聞きたくないはずがありません。

「若いお母さんたちから、肌の悩みを聞きました」

「待合室にいる高齢の患者さん、病院によって表情や服装も違いますね」

こうした投げかけで、相手に「ほぅ……」と、思ってもらえればしめたものです。

もし、相手が後輩なら、

「この仕事を10年やってきました。クレーム対応も、3年経験しています」とか。

「この人の話を聞けば、難航している商談がうまくいくかもしれない……」そう思えば煙たい上司の話だって、聞こうという気にもなります。

相手との位置関係を正しく把握すること。そして、**「自分にあって相手にないもの」で勝負**すること。それが相手を動かす、最大のカギです。

其の四 「自己アピール」と「自慢」をしっかり区別する

「とりたてて自慢できるようなセールスポイントもないし……」とか、

「自分を自慢するなんて……」と言う人が結構います。

しかし、自慢と自己アピールは根本的に違うものです。そもそもこの2つでは目的が違います。

自慢は、往々にして、自分の優越感を満たすための行為です。

これに対し、**自己アピールは「相手のためにする」**もの。自分が持っている強みが相手にはなくて、なおかつ相手のビジネスの役に立つと思うからこそ、伝えるのです。それがなければ、相手はあなたと仕事をする必然性も魅力も感じてくれません。

ここで役立つのが、章末の「**チャンスを広げる自己分析**」（101ページ参照）です。自分と相手、それぞれの強み・弱み、チャンス・阻害要因を分析し、「**相手になくて、あなたにあるもの**」をじっくり探してみましょう。

どんな人でも、きっと見つかります。

本当に何もない……と思ったら、店舗を見て回ったり、周囲にヒアリングするなど、努力して作ります。相手に〝できないこと〟をすることが肝心です。

相手にとって、たとえ能力的には「できる」ことでも、時間がなくて、あるいは立場的に「なかなかできない」こともあるはずです。そこを相手に代わって調べるのです。

ネットで検索するだけでは、説得力がありません。小さな話でも、あなたにしか集められないナマの声、生きた情報を集めてください。

其の五 ゴールは「相手の行動形」で語る

何について話すのか、という予告はしても、明確なゴールを語らない人もかなりいます。

これでは、相手は動きません。

相手が自分の動く姿をイメージできる、何をすればよいかビジュアルに思い描けるようにすることが大事。あなたのゴールではなく、相手のゴールを「動詞形」で語りましょう。たとえば、

「新製品の特徴を、ご紹介したい」ではなく、

「新商品の特徴を、ご理解いただきたい」。

「コストダウンのお役に立ちたい」ではなく、

「製品のクオリティを維持しつつ、コストダウンしていただきたい」


と、伝えましょう。会議ならば、何を決めるのか。相手が決めるべきこと、考えるべきことを伝えます。


たくさんのゴールを相手に課してはいけません。

目指すべきゴールは、一つ。

相手ができること、あるいは「したい」と思えることをゴールにします。

ここで「面倒くさい」「ムリだ」と思われるか、「あ、それならできるかも」と思われる

かで、「YES!」までの道のりが、大きく変わります。

そのために、**ゴールに幅を持たせる**ことも大切です。「新製品を買って欲しい」という場合、「買う決断をする」ことが相手のゴールになってしまうと、相手は「NO」モードになってしまいます。

まずは、

「製品の特徴をご理解いただきたい」

と、相手の反応を見つつ、さらにもう一歩踏み込めそうなら、

「特徴をご理解いただき、実際に導入した場合のメリットとコストをご確認いただきたいと思います」

と、相手が「YES」を言いやすいゴールにしてあげれば、あなたにとっても伝えやすいメッセージになるはずです。

其の六 **「がんばります!」ですまさない**

「がんばります」だけなら、誰でも言えます。
がんばれる**証拠を、相手目線で〝具体的に〟示す**ことが、信頼を勝ち取るカギです。

✕「**努力家なので**」とか、
「**好奇心が旺盛なので**」

だけでは、根拠になりません。

どう努力できるのか。具体的に、どう努力したことがあるのか。好奇心が旺盛だから、どう行動するのか。そこで、何を発見するのが得意なのか。**小さくても、わかりやすく、説得力のあるエピソードを入れる**ことが肝心です。たとえば、

〇「**すでに3社に導入し、1社は12%、残る2社でも8%のコストダウンを実現しました**」

という話なら、コストダウンの大きさがつかめます。

〇「**前のプロジェクトでは、年上のメンバーが多い中でマネジメントを任されました。プロジェクトも成功し、先輩メンバーとはいまもお付き合いいただいています**」

というアピールなら、人間関係を損ねることなく、目標を達成する力が垣間見えます。

「わかりやすいエピソード」とは、相手の頭に、ポンと**絵が浮かぶような話**にする、

ということ。「説得力のあるエピソード」とは、あなたが何を考え、実際に、どういう行動を取ったかという〝**一人称**〟の話をする、ということです。

チームで成し遂げた成果だったとしても、その中であなたがどういう機転をきかせ、どう動いたかがわかるように話してください。

自分の体験談を語るときに、「**いろいろな**」「**様々な**」**は禁句**です。たとえば、

「この件については、いろいろな人に話を聞いて」ではなく、
「外食の多い人に、健康不安について3つの質問をします」。
「様々な状況に合わせ」ではなく、
「たとえ、為替相場が現在より10円円高に動いても」

と、具体的に伝えましょう。

初対面の場合、どんな話が相手の心に響くのか、判断に悩むこともあると思います。

でも、逆に言えば、どんな話なら、どこまで相手に伝わるかをチェックする絶好のチャンスでもあります。

その先の交渉で「Ｗｉｎ-Ｗｉｎ」を目指すためにも、相手の反応をしっかりキャッチし、**〝相手の興味〟に関心を持つ**ことが大切です。

其の七 「3秒」の間を潰さない

「90秒」は、聞き手にとってはかなり長いものです。一方的なスピーチになってしまっては、どんなに中身がよくても、最後まで集中して聞いてもらえません。

途中で相手の反応を見る〝投げかけ〟の質問を入れ、投げかけたら相手の言葉や反応を待ちます。少なくとも、3秒は待ちましょう。

相手の反応が鈍いときなど、沈黙の中で3秒待つのは、結構辛いものです。

でも、練習すれば必ずできるようになります。

目で「いかがですか？」と問いかけつつ、心の中で「1、2、3……」と、数えます。待つだけでなく、その間に、相手の反応をしっかり観察してください。

相手の反応を待てなくて、「えー」とか「あのぉ」で大事な3秒を潰している人が結構います。「えー」や「あのぉ」があまり多いと、「ちゃんと用意してこいよ！」という不満や、「何だか自信なさそうだけど、この人で本当に大丈夫かなぁ……」という不安を生む

原因になります。

言いそうになったら、グッと飲み込む。2、3回意識して練習すれば、かなり減ります。

WORK チャンスを広げる自己分析

**自分のバリューを知ることが、相手を動かす第一歩。

「相手になくてあなたにあるもの」がWin-Winの関係を築くカギ！**


あなた自身の強み、弱み、あなたを取り巻くチャンスやピンチの要因を103ページの表で整理してみましょう。

「強み」「弱み」には、経験・経歴、知識やスキル、体力、学力、物事に対する姿勢などをあげます。

他の人よりもできることや、できないことではなく、自分がしたいこと・やりたい仕事にとって強み・弱みとなるものをあげてください。

相手があなたよりワンランク上の資格を持っていたとしても、あなたの資格が仕事の可能性を広げるものだとしたら、それは強みになります。

やりたい仕事にワンランク上の資格が必須だとしたら、現時点では弱み。浅くても、広い知識は強み。狭くても、深い知識は、やはり強みになります。

「チャンス」には、あなたが仕事で使いこなしたいチャンスをあげてください。

たとえば、世の中の動きや会社の制度など。優れた上司の下に配属されたこともチャンスです。怠け者の上司の下に配属されたことも、考えようによってはチャンスです。チャレンジングな仕事をどんどん任せてくれたり、好きにやらせてもらえていれば、間違いなくチャンスです。

各項目とも、3つ以上あげてみてください。強みと弱み、チャンスと阻害要因は、それぞれ逆方向で検証してみましょう。

このSWOT分析は、古くからよく使われているビジネスの分析法の一つです。

一般的には顧客開拓のツールとして、相手分析に使われていますが、自己分析、自己認識にも有効です。

書き終えたら、上下・左右のボックスを見比べてください。

▼相手になくて自分にある強みを探そう

強み・長所 Strength	弱み・短所 Weakness
1)	1)
2)	2)
3)	3)
4)	4)
5)	5)

目前のチャンス Opportunities	脅威・阻害要因 Threats
1)	1)
2)	2)
3)	3)
4)	4)
5)	5)

強みになりそうな「弱み」はありませんか？　相手や状況によっては、強みになり得るものもあるはずです。その弱みを強みに変えるには、どんな努力やチャンスが必要かを考えてみましょう。

上下の関係も同様です。「強み」を活かせる「チャンス」がないか、考えてみましょう。強みは、意識して使わないと、使いすぎて消耗してしまうこともあります。たとえば、英語力。活かし方を間違うと、職場で〝便利な英語屋〟になってしまい、仕事が増える割に、感謝されない、評価されない、伸ばせない、ということにもなりかねません。

「チャンス」や「阻害要因」がなかなか書けない人もいます。日頃から意識していないと書けませんし、意欲や向上心がないと書けません。

阻害要因を、「どうにもならない」「仕方ないよ、これは……」で終わらせてはダメです。阻害要因を取り除けば、チャンスはグッと広がります。ピンチをチャンスに変えるには、どんな努力・工夫が必要かを考えてみましょう。

「阻害要因」に起因する「弱み」もあるはずです。この阻害要因を解消すれば、こんな強みになる！　と考えていけば、阻害要因は仕事上の目標を見つける絶好の材料となります。

自分の価値を知らなければ、相手を動かすことはできません。

でも、「強み」をたくさん書ければ、それでOKというわけではありません。

交渉相手にとっても、あなたにとってもメリットのあるWin-Winの提案は、**「相手になくてあなたにあるもの」**を探すことから始まります。

たとえば、上司はあなたより経験豊富。でも、現場を離れているので、あなたのほうがクライアントのナマの声をたくさん聞いている場合、クライアント企業がいま何を求めているのか——という情報は、上司（相手）になくて、あなたにあるものです。たとえ15秒の自己紹介であっても「相手にはない、あなたの強み」をしっかりアピールしましょう。

強みも弱みも、チャンスやピンチも、常に変化しています。定期的に4つの要素を検証し、自分のバリューや置かれた状況を正しく認識しておくことが大切です。

CASE #3 大串亜由美の「チャンスを広げる自己分析」

次ページに、現在の私のSWOTをリストアップしてみました。

ご覧のとおり、強みにも、弱みにも「そこそこの英語力」があります。そこそこの英語力があるので、外国人クライアントとも、直接話をすることができ、仕事上の強みになっています。

ただし、「そこそこ」なので、英語での研修など踏み込めない領域もあり、それが弱みになることもあります。そこそこ話せるがために、相手の期待がふくらみ、その期待に100％応えられないことも弱みと感じています。

また、ここにはあげませんでしたが、女性であることも、強みにも弱みにもなります。研修講師はまだまだ女性が少ない職種なので、名前を覚えてもらいやすいですし、企業のトップにも身構えずに会ってもらえます。

ところが、逆もあります。当社には、様々なビジネス研修プログラムがありますが、女性なので「じゃあ、大串さんには、うちの女性社員に向けたマナー研修をお願いしよう」と限定されることもあります。

▼ 大串亜由美のSWOT分析

強み・長所 Strength	弱み・短所 Weakness
・話を聴く力 ・話をする力 ・そこそこの英語力 ・豊富な研修経験 ・早起き ・風邪をひかない	・数字 ・機械 ・そこそこの英語力
目前のチャンス Opportunities	**脅威・阻害要因 Threats**
・不況による研修の見直し ・クライアント担当者の転職 ・本の出版	・移動時間 ・家事時間 ・人生保証がない

「弱み」とは言えませんが、それをどうプラスに活かしていくかが腕の見せどころ。マナー研修でしっかり成果を残し、信頼を勝ち取れれば、次のチャンスにつなげられます。

また、目前のチャンスとしてあげた「不況による研修の見直し」「クライアント担当者の転職」に、首をかしげた方もいらっしゃると思います。

最近は景気も上向いてきましたが、私が会社を立ち上げたのは不況真っ只中の1998年。業界では新参者ですし、小さな会社です。最初は確かに苦戦もしました。

でも、不況だからこそ、大企業もコスト削減のため、研修プログラムを見直し始めていました。それが、私にとってのチャンスでした。だからこそ、小さな会社が入っていけたのです。

当社のクライアントには、外資系の企業も多いので、せっかくいい関係を築いた担当者が転職してしまうこともあります。

でも、顔の見える信頼関係を築いていれば、後任の方にも紹介してもらえますし、転職先からお声がかかることもあります。人が人を呼ぶ――。ですから、クライアントの転職を、私は「チャンス」の項目に入れました。

阻害要因にあげた「家事」はアウトソーシングすることで、「移動」も運転手つきの車があれば解決できます。それを実現するには……と考えていけば、やるべきことが見えてきます。

企業に勤めていれば退職金制度などもありますが、私は経営者ですから、そうした保証はありません。でも、人生保証がないという脅威は、裏を返せばどんな形の保証が欲しいのか、自分で考えてデザインすることができる、というチャンスでもあります。退職金制度に代わる保証を自分で用意すれば、解決します。

こうやって〝自分のいま〟を整理しておくと、新たな動きがあったとき、それをチャンスとして活かすアイディアが浮かぶものです。

「90秒スピーチ」も、次章の「『ＹＥＳ！』を引き出すアサーティブ交渉術」でも、カギを握るのはこの分析結果です。できるだけたくさんあげて、整理しておきましょう。

Chapter 4

「YES!」を引き出すアサーティブ交渉術

——4つのステップでWin-Winゴールを目指す

STEP 1 「握手できるところ」から話を始める

意外と多い「売れないトーク」

最初の90秒がうまくいって出足は上々。「このまま一気に『YES』をもらってしまおう!」と、勢いに乗って、こんなセールストークをしている人、結構います。

「さっそくですが、今日は、ぜひ見ていただきたいものがあります。当社の新製品です。
売上の5%を投じて、2年がかりで研究・開発しました。
○△素材の商品化に成功したのは、業界では当社が初めて。
かなりの自信作です。
ぜひ○○様にと思い、真っ先にご紹介にあがりました!」

意欲は買います。自社製品への愛も感じます。

でも、相手の「YES」からは一気に遠のいてしまいました。

なぜなら、このメッセージには、**聞き手（買い手）にとってのメリットが、何一つ入っていない**からです。

「開発コストがかかっているということは、最初のモデルは割高かも……」

「2年がかりということは、もうスペックが古いのでは？」

と、聞き手は、早くも警戒モードです。

「業界初かどうかなんて、ウチには関係ないし、そもそも○△素材って何？」

「真っ先に？　まだ売れてないだけじゃないの？」

など、相手は「NO」を言う準備を始めています。

90秒のスピーチも、本格的な交渉トークも、基本は同じです。

Win-Winの基本に沿って、「相手メリット」で話すことが大切です。

「Win-Win」でないと、聞いてもらえないし、聞いてもらえないと「YES」はもらえません。話が弾んでいるときも、暗礁に乗り上げてしまったときも、最初から最後まで、一貫して「相手メリット」で考え、話す。
これがアサーティブ交渉術の鉄則です。
冒頭のケース、私ならこう伝えます。

「当社の新製品です。
新素材を使うことで、業界で初めて、厚さを半減することに成功しました。
御社の倉庫管理費用を大幅に節約していただけます」

あるいは、

「御社の作業効率を上げるご提案をお持ちしました。当社の新製品です。
新素材の効果で、従来の半分に軽量化できました。
作業工程そのものも減らせます」

インパクトのある15秒、説得力のある90秒で、「この人の話を聞いてみよう」という気になった相手の〝耳〟は、すでに検討モードに入っています。
聞きたいのは、あくまでもメリット。どんなメリットがあるのか、どれくらいのメリットがあるのか。ストレートにわかりやすく伝えましょう。

早い段階で小さな「YES」をもらうコツ

「YES」をもらう交渉トークは、最初が肝心です。

「コレを、（ぜひとも）買ってください」

「ココを、（なんとしてでも）変えていただきたい」

「とにかく、急いでください」

――と、いきなり自分本位の本題、各論に持ち込んでしまっては、利害がぶつかるばかりで、まとまる話もまとまりません。

交渉の入口で、**相手を反対モードにさせない**ために、まずは大枠でコンセンサスが得られる話、**確実に相手と握手できるところから話を始めます**。

たとえば、コストを削減したい上司に、販促予算の上乗せをお願いするとします。主張をストレートに伝えることももちろん大切ですが、開口一番、

✕「部長、予算、増やしてください。このままじゃ、売上は伸びません」

では、通るはずがありません。たとえば、こうしてはどうでしょう。

「今年の売上、10%アップの目標、必達ですよね！」

これは事実。だから「ＹＥＳ」。

「現時点で8%。もう一息なので、私もがんばって達成したいと思っています」

目標を共有できました。これなら、上司も「ＹＥＳ」です。そして、

「そのために何が必要か、考えてみました」

と切り出せば、聞いてみる価値アリ、と思ってもらえます。

最初に、両者がＷｉｎ-Ｗｉｎになれる話から始め、「こうなればいいよね」「こうなると困るよね」を共有します。それが、2人の〝握手できる場所〟です。

早い段階で小さな「ＹＥＳ」を2つ、3つもらっておくと、あなたも本題に入りやすくなりますし、相手も話を受け止めやすくなります。

たとえば、こんな感じです。研修の事前打合せ。先方からは「研修1回当たりの定員を増やしたい」とのリクエストをいただいていた、とします。

「先日は、研修受講者アンケートをありがとうございました。
参考になりました。……………………感謝に対してYES
〝さっそく明日から使えるスキル〟
――これが今回の研修の最大の狙いですよね。…………確認のYES
私も賛成です。
一般的な知識習得では、かえって時間のムダですから。……方向性を共有できました
だとすると、やはり、研修の定員、18名はオーバーしたくないですね。
今回は対象者が30名ですので、2クラスにしませんか？……代替案を提示
スキルを磨いていただくワークを最大限取り入れます。……相手のメリットを伝える
研修費は、倍にはしませんので」……こちらの歩み寄りも示す

もし、同じことをこう伝えていたらどうでしょう？

「何とか研修の定員は守っていただかないと、正直困るんですけど。
やっぱり、実習の効果も下がります。
まぁ、経費のこともあるとは思いますが、

他社さんにもそれでお願いしていますし……」

交渉のテーブルを挟んで、両者、ムッとしている様子が目に浮かびます。

交渉のスピードは「主語」と「語尾」で決まる

交渉トークには、**スピード感**も必要です。

くどい話はＮＧ。オープニングの小さな「ＹＥＳ」も、２つ、３つにとどめておかないと、「で、何が言いたいんだ！」ということになりかねません。

しっかり準備して、**シンプルに、わかりやすく、言い切る**。これが、アサーティブな言語表現の基本。「あなた」の考えがストレートに伝わることが大切です。

最後まで、しっかり聞いてもらえるトークのポイントは、3つあります。

①「私は」で始まる話にする

自分の考え、気持ち、希望は、「私は」で始まる文章で伝えます。

×「今回の企画、みんな乗り気じゃないみたいなので、再検討したほうがよいかと……」

○「今回の企画、私は再検討したほうがよいと思います。周囲の声も聞いてみました」

みんなをオトリにしないこと。〝みんな〟の話なら、いま時間を割いてあなたと話す意味がありません。

×「御社の新機種、デザインも機能もいいと評判ですよ。特に○○の機能は業界初ということですし……」

○「新製品、私も使ってみました。意外と軽いんですね。○○の機能、すごく便利です」

評判だけなら相手もわかっています。使っていないならコメント不要です。

②あいまいな表現は使わない

「いつか」「ちょっと」「とりあえず」「多分」「〜のような」「だいたい」「大丈夫」——こうした口グセは、直しましょう。語尾も、ごまかさないこと。ハッキリ伝えることを恐れていては、ハッキリした「YES」はもらえません。

× **「……していただけると幸いです」**

○ **「……してください。よろしくお願いします」**

③あくまで事実ベースで伝える

「意見」と「事実」は、キチンと分けて話します。意見だけではダメです。
正確な数字、客観的な事実ベースで根拠や理由を示すことが大切です。

× **「今回のイベント、すごいんです。かなり、インパクトがあります」**

「すごい」「かなり」はあなたの感覚値。

○ **「今回のイベント、参加企業は昨年の1・5倍。集客も、昨対比1・5倍と試算しています」**

具体的な数字を示し、相手に「すごい」かどうかの判断材料を提供します。

× **「だいたいキミは、時間にルーズすぎるんだよ」**

○ **「約束の時間は20分前。先週のミーティングも、30分遅刻したよね」**

ルーズすぎるという認識はなくても、遅刻した事実なら本人も認めざるを得ません。

言い方一つで「YES」が遠のく⁉

同じことを伝えるにも、言い方一つ、言葉の選び方一つで、ずいぶん印象が違うことを実感していただけたと思います。

「交渉に勝てる人、勝てない人」。

実はちょっとした話し方や口グセでわかります。

なかなか勝てない人、言いくるめられてしまう人は、話し方も「パッシブ（受身的）」です。何か物足りない、煮え切らない話し方をするからこそ、相手に選ばれない。

逆に、「アグレッシブ（攻撃的）」な話し方をするから、選ばれない人。

かろうじて1勝はできるかもしれませんが、勝ちの裏で、負けも拾っています。

相手が交渉の土俵から降りてしまったり、次の交渉で猛反撃を喰らったりと、連勝や正しい全勝にはつながりにくくなります。

目指すべき交渉スタイルは、「アサーティブ（積極的）」です。

気持ちよく勝てる人、あるいは2回戦に持ち込める人は、明日につながる関係を築いて、「YES」をもらうチャンスを広げます。

「アグレッシブ」「パッシブ」「アサーティブ」。**3タイプのログセや態度**を124〜125ページの表にまとめました。あなたにも思い当たるクセはありませんか？

アグレッシブに相手を叩いてしまいがちな人も、パッシブに相手の要求を飲み込んでしまいがちな人も、アサーティブに言い換えると、相手の反応が変わります。

言い方一つ、変えるだけで、「YES」への道のりがグッと近くなります。

▼見た目と話し方でわかる！　3タイプのコミュニケーションスタイル

タイプ	アグレッシブ（攻撃的）	パッシブ（受身的）	アサーティブ（積極的）
基本マインド	I（私）だけが大切	You（相手）を気にする	You & I（双方）を尊重する
発言	饒舌 会話を独占する 途中で人の話を遮る	沈黙 むやみに同調する 自発的に意見を言わない／質問しない	キャッチボールができる 共感する よく聞き、質問する
発言の主語に…	「私は～」が極端に多い	「私は～」が少ない	適度な「私は～」がある
発言の傾向として…	断定的、否定的な発言が多い	話がまわりくどい、意味もなく謝る	わかりやすく、明確なメッセージがある
人の話を…	聞いていない、 話の腰を折る	黙って聞く	積極的に話を引き出す
フィードバックする際…	批判が多い	反応が少ない	批判も賞賛も、建設的に伝える
意思決定する際…	自分の意見にこだわり、結論を急ぐ	自分で意思決定することを避ける	互いに納得のいく結論を追求する
相手からの印象は…	自分勝手、 押しつけがましい	頼りない、 御しやすい	信頼できる、 頼れるパートナー
外見	ピリピリ、せかせか、 好戦的	おどおど、不安げ、 および腰	ゆったり、堂々、 好意的
姿勢	傲慢、横柄、 ふんぞり返る	猫背、もじもじ、 弱々しい	背筋を伸ばし、自然体でリラックス
アイコンタクト	凝視する、にらみつける	目を逸らす、うつむく	まっすぐで、友好的なアイコンタクト
表情	不満、厳しい、ニヒル	困惑、へつらう、 機嫌をうかがう	おだやかで、表情豊か
声	早口、耳障り、威圧的	声が小さい、元気がない、 しどろもどろ	落ち着いて、ゆったりと、 自信に満ちた

▼ログセでわかる！　３タイプ

タイプ	アグレッシブ（攻撃的）	パッシブ（受身的）	アサーティブ（積極的）
相手へのフィードバック	「だいたいキミは…」 「そうに決まってる」 と、決めつける	「多分…」「～のような」 「～かなぁと思って…」 と言葉を濁す	事実に即して語る。 あいまいな言葉を使わない
反論するとき	「それは違う」「あり得ない」と、否定する	「そんな気がします」 「そうかもしれません」 と、同調する	共感できるところと できないところを 整理して伝える
相手の話を聞くとき	「そうじゃなくて…」 「そんなことより…」 「だからぁ」と、話を遮る、話の腰を折る	話の腰を折られると 黙ってしまう。 異論があっても、言葉を 飲み込んでしまう	すがすがしく自己主張。 周囲の声に耳を傾け、 発言を促す
自己アピールのとき	話が長い。 自慢話が多い	「私なんか…」と卑下する	「～は得意です。きっとお力になれます」 と、端的に語る
頼み事をするとき	「～してよ」	「～してもらえると 助かるんだけど…」	「～してください」
代案を提示するとき	「これしか、できません」 「これしか、ありません」	「これではダメ… ですよね」 「これしかご用意 できませんでした」	「これができます」 「これはいかがでしょうか」 「○○はありませんが、 △△はご用意できます」
飲み物を薦められたとき	「～はないの？」	「お茶でいいです」 「何でもいいです」	「お茶をください」
他者の心遣いに対して	「あ、どうも」 無反応、あらを探す	「すみません」 「申し訳ありません」	「ありがとうございます」

ある受講者の後日談です。

どちらかと言うと、アグレッシブなタイプで、頼み事も「あのさー、これ、頼めない？」と、いきなりな感じでした。

しかし、その方は、研修受講後、頼み方を改めたそうです。

「いつもありがとう。助かっているよ。で、一つお願いがあるんだけど。いま話せる？」

ビックリしたのは、周囲の人。いわく、

「こう言われたら、話を聞かないわけにはいきませんよね（笑）。頼みたいことは他にありませんか？　やりますよって、こっちから言いたくなる感じ。ちょっとしたひと言で、聞く側の気持ちって、こんなに違うんですね」

言い換えただけなのに、「ＹＥＳ」が向こうからやってきた。アサーティブ効果の好例です。

Column

〝アサーティブな人〟はココが違う

勇気と誠意を持って、きちんと言い切る。
「あなた」が見えないと、交渉は進みません！

相手の立場やニーズを犠牲にしてでも、自分・自社の主張を押しとおすのが、アグレッシブ。逆に、自分・自社の立場やニーズを犠牲にしてでも、相手に合わせてしまうのが、パッシブ。

アサーティブは、自分の立場やニーズをハッキリ、わかりやすく述べ、相手にもそうすることを期待します。だから、お互いに納得して「YES」を渡し合えます。

アサーティブは、アグレッシブとパッシブの中間ではありません。
アサーティブには、力強さと柔軟性の両方が必要です。

124～125ページの表を見てもわかるとおり、アサーティブは、かなりキッチリ言い切っています。

「強い言い方」と感じる人もいるかもしれません。でも、言うべきことは、きちんと言い切って、「あなた」が見えるメッセージにしないと、相手もあなたに「YES」を渡せません。

アサーティブに言い換えてみると、きっと気づくことがあるはずです。

やっていることは、言葉・言い方を変えるだけですが、言い換えるために、いつもより〝一歩先〟のことを考え始めているはずです。


たとえば、注文した品物が届かなかったとき、泣き寝入りするのは、パッシブ。

「いったい、どうなってるんだ!」と、声高に文句を言うのは、アグレッシブ。

アサーティブな人は「届いていませんが、どうしたんですか?」と、事実ベースで確認を取る。そして、届かなかった理由を聞いて、改善策を考えます。

あるいは、ミスを指摘されたとき、

「自分で何とかします」は、相手の言葉を受け入れないアグレッシブな反応。

「すみません、いつもいつもご迷惑をおかけして……」は、謝り倒すだけで解決・改善に至らないパッシブな反省。

「確かに、私のケアレスミスです。こうしたミスが出ないよう、今後は事前にダブルチェックします」と、ミスを認め、改善につながる反省をする。これがアサーティブな反応です。

職場の送別会のためにお店を決める際も、アグレッシブな人は「やっぱ、中華でしょ」と、断固主張します。

中華料理が苦手でも、パッシブな人は「どこでもいいよ。決めて」。

これに対し、みんなのニーズに合わせて、お薦めを提案できるのがアサーティブ。意見がまとまらないときは、店選びの基準と期限を提案します。

勇気と誠意を持って、アサーティブに言い切れば、交渉の場の空気も、職場の雰囲気も変わります。まずは、一つ実践して、その違いを実感してください。

STEP 2 お互いの「Win-Win」ポイントを探す

「What」と「Why」を共有する 〝レモネード・エピソード〟

利害が対立して、どちらも譲らない。

「じゃ、今回の話はなかったということで――」

「わかりました。失礼します」

どちらも得るものがなく、〝次〟にもつながらない最悪の結末。――でも、相手の話をきちんと聞いていれば、決裂は避けられたかもしれません。

私はよく研修で、〝**レモネード・エピソード**〟の話をします。

――ある日、私はレモンを10個、買いに行きました。店に残っていたレモンは、ちょうど10個。そこへもう1人、「レモンください。どうしても10個必要なんです！」と言う人が現れました。そこで取っ組み合いのケンカになり、2人はボコボコ、レモンもグチャグチャ。結局どちらもレモンは買えずじまい。

でも、よくよく話を聞くと、その人はレモネードを作るために、10個分のレモンジュースが欲しかった。私はレモンのジャムを作るために、実はレモンの皮が10個分、欲しかった。そもそも、ケンカする必要はなかったんです。

——という話。

人によって、求める「Ｗｉｎ」は違います。交渉を進める際は、まず、

①相手が求める「Win」を正しく理解すること。そして、

②あなたの主張に対して相手が抱く「NO」の理由と、「YES」の条件を、明らか

にすること

が大切です。

たとえば、値引き交渉で、相手は5％の値引きを要求。「どうがんばっても、3％以上は引けません」と、あなたが言うとします。

この場合、両者の間を取って「4％」という話になりがちですが、それでは「Lose（負け）-Lose（負け）」。あなたが無理して4％値引きしても、相手には「要求を満たしてくれなかった」という不満しか残りません。

同じものを持ち帰ることが、「Win-Win」ではありません。数字をめぐる消耗戦に陥る前に、「5％」の理由と真意を確かめましょう。

もしかすると、相手は、資材調達コストを「全体で5％」を下げたいのかもしれません。あなたも、この商品は3％しか引けないけれど、他の部分でコスト削減に協力できるかもしれないのです。

「Win-Win」には、何通りもの答えがあります。

お互いの主張の「What（何）」と、「Why（なぜ）」を正しく共有できれば、双方が納得して合意できる場所が見つかるはずです。

相手の辞書から「キーワード」を効果的に拾う

何だか、うまくいかない社内の会議。いくら話しても話は平行線。

「どっちも、同じようなこと言っているんだけどなぁ……」と思うこと、ありませんか？

「今回のプロジェクト、**絶対に**失敗するわけにはいかないんだ」

「いや、だから、他社の出方を見て、しっかり**対策を**練らないと……」

「**対策を**練っている場合じゃないんだ。**絶対に**勝てる方法を考えることが先決だ！」

——あなたの交渉がうまくいかない理由も、実はこれかもしれません。

人は、自分の〝聞きたいこと〟しか聞いていません。

話のテーマや中身もそうですが、実は言葉一つで、反応はずいぶん違います。

交渉のシナリオは、9割用意して、残り1割は相手の話から〝相手の言葉〟を選びましょう。

まず、相手の話をよく聞いてみます。その人が好んで使う言葉、気にしている言葉、言われたい言葉がきっと見つかるはずです。それをあなたのメッセージに上手に盛り込みます。

たとえば、

「今回のプロジェクト、**絶対に**失敗するわけにはいかないんだ」

「そうですね。**絶対に**勝てるよう、まずは、他社の動きをチェックしてみます」

相手の〝辞書〟からキーワードを上手に借りてきて、要所、要所で効果的に使う。これが、スムーズに話を聞いてもらうコツです（キーワードを集めるコツは、141ページからの「STEP3」参照）。

交渉は「Give & Given」で!

「特別にお安くします。御社だけの特別価格ですので、何とか今月中にご契約いただけないでしょうか。できれば、来期の分もちょっと早めに……」

商談をまとめたい一心のこんなトーク、よく聞きます。

「何とか今月の成約ノルマを達成したい。安く買えれば、相手だってうれしいはず」と、本人としては「Give & Take」のいい話を持っていったつもり。でも、これでは、自分の「Winありき」のシナリオだということが見え見えです。

「考えてみるけど、もう少し安くならない？（成約を急いでるんだから、なるはず）」

相手はきっとそう言ってくるでしょう。そうなると、あなたの「Win」は、どんどん小さくなります。

発展的な関係を築く交渉のシナリオは、「Ｇｉｖｅ＆Ｔａｋｅ」ではなく、「Ｇｉｖｅ＆Ｇｉｖｅｎ」でいきましょう。

渡せるものは、きちんと、全部渡す。せっかく渡すなら、早く渡す。

頼まれ事も、見返りはゼロのつもりで、まず１００％、やってあげましょう。

「それじゃ、商売にならないじゃないか！」と思う人もいるかもしれませんが、「Ｗｉｎ」をキチンと渡せば、「Ｗｉｎ」はしっかり戻ってきます。

以前、こんなことがありました。

仕事でお付き合いのある、とある生命保険会社の支部長から、「一度うちの営業職員の話を聴いてやってください」との依頼。保険加入のお誘いです。

支部長も営業職員の方も、「ダメもと」覚悟で私のオフィスにやってきました。研修講師に対しての営業トーク。いつもより緊張されたのか、汗だくでした。一通りの説明を聞いた後、「では、そのお薦めのタイプでお願いします」と、私は即答加入。お２人とも一瞬呆然として、書類を整えるのもあたふた。「まさか入っていただけるとは……」という感じでした。

お付き合いするなら断然即答。一切値切らず、相手の想像を超える答えを提供する――。これが私のモットー。あげるときは、思い切りです。

後日、その生命保険会社からは、立て続けに2件、研修の仕事をいただきました。正しく渡した「Ｗｉｎ」は、大きくなって返ってきます。目先の取り分（Ｔａｋｅ）に固執するのではなく、長い目で自分と相手、双方の正しい「Ｗｉｎ」を考えましょう。

交渉をスムーズに進め、気持ちよく「ＹＥＳ！」をもらうカギは、４つ。

①Ｗｉｎ-Ｗｉｎの姿勢があるか

両方を同じように尊重して、シナリオを立てていますか？

②相手が受け止めやすい理由があるか

こちらの都合だけではダメ。相手のメリットを、相手目線で語れますか？

③代替案を示せるか

状況に応じて、幾通りもの「Ｗｉｎ-Ｗｉｎ」を提案できるよう、引出しを増やしましょう。実際の交渉場面では、柔軟性と反射神経も必要です。

④罪悪感なく「NO」と言えるか

相手のためにも、必要な場面では、不必要な罪悪感なしに、あなたの「NO」をはっきり伝えることが大切です（↓言いにくい「NO」の伝え方は、第5章参照）。

クライアントとの商談、上司への提言、同僚への頼み事。交渉に臨む前に、まず、この4つをクリアできているか、確かめましょう。

Column

交渉が〝動く〟瞬間

相手が動いた瞬間を見逃してはいけません。
それは、相手に次なる「Win」を提供するヒント、あなたの「Win」を増やすカギ！

うまくいく交渉には、必ずどこかで「カチッ」とスイッチが入る瞬間があります。相手が本格的に「YES」モードになった瞬間です。

▼交渉が動いた瞬間をチェック

① 相手と共通認識が持てたとき
② 相手に、やることのメリット／やらないことのデメリットを示せたとき
③ 相手の「NO」の理由を解決できたとき
④ 「YES」の条件をクリアできたとき
⑤ 相手に選択肢を提示できたとき
⑥ 和やかに会話が弾んだとき

「あぁ、よかった！」で終わらせてはいけません。何がきっかけで、交渉が動き出したのか。その人の「YES」スイッチはどこにあるのか。それがわかれば、次の交渉をよりスムーズに進められるはずです。

そこには、相手に次の「Win」を提供する際のヒントも隠れていますし、それがあなた自身の「Win」を増やすカギとなります。

上の6つは、「YES」をもらうための要件でもあります。文末の「とき」を「か」に代えて、準備の段階、あるいは交渉後の振り返りをするとき、チェックリストとして使ってください。

そのうえで、交渉相手が特に重きを置いていたポイントはどこかを考えてみましょう。

その人は、和やかな会話より、単刀直入に「YES」の条件をクリアしてくれることを求める人でしたか？やらないことのデメリットや、「NO」の理由をきちんと解決できればアクションを起こしてくれる人ですか?

タイプ別のアプローチ法は、付録3(213ページ参照)で、詳しく紹介します。

相手に合った準備をする——。これも、交渉をスムーズに進める大切なポイントの一つです。

STEP 3

相手に話させる〝聴き方〟と〝訊き方〟

キチンと「聴」いて、上手に「訊」く

相手のことがわからなければ、「Win-Win」の基本に沿った提案、会話はできません。交渉を有利に進めるには、まず相手の話をしっかり〝聴く〟こと。どれだけ深く、たくさん話を聴けたかで、交渉の行方が決まります。

ところが、これは、かなり難しいものです。

「話すより、聴くほうがラク」と思っている人も多いようですが、聴いているつもりでも、ほとんどの人は「聞いて」いるだけで、「聴いて」はいません。

相手の気持ちや真意に、耳を傾けるのが「**聴く**」。

「**聞く**」は、物理的に音が聞こえているだけ。相手も「聴いてもらえた」とは感じていません。

大切なのは、キチンと「聴いて」、上手に「訊く」こと。

「**訊く**」は、訊ねる。上手に質問して、相手の気持ちや真意を引き出します。

「キチンと聴いて、上手に訊く」のが、傾聴。

傾聴には、3つのメリットがあります。

①信頼を得られる

自分の話を聴いてくれた、**わかってくれた**という手応えが信頼につながります。

②真の情報をキャッチできる

ズバリ聞いても答えてもらえないような、**思わぬ話**を仕入れられます。

③自分の伝えたいことを〝聴いてもらう〟近道！

人は、話したいことがあって、まだ話し足りないと思っている間は、人の話を聞きません。まずは、キチンと話してもらい、キチンと聴くこと。

そこから、**あなたの話を〝聴いてもらう〟ためのキーワード**を探しておきます。

普段、いかに人の話を聴いていないか、上手に聴けていないかを再認識していただくため、研修ではあえて〝最悪の聞き手〟を演じてもらうこともあります。最悪の聞き手とは、ほおづえをついてウンザリ顔。特にうなずくでもなく、フン、フンと生返事。目を逸らしたり、時計に目を落としたり。あるいは、いちいち反論する、文句をつける、話に水を差す、腰を折る――などなど。

やってみると、一様に「ワザとやるのは難しい」という反応が返ってきます。ワザとやるのは難しいけれど、結構、無意識のうちにやっていたりします。

たとえば、仕事中、同僚に話しかけられて、パソコンに向かってパチパチ打ちながら、生返事していませんか？　得意先の部長の長い話に、「そうなんですかぁ」と、一生懸命、相槌打ちながら、チラッと時計を盗み見たり。

キチンと聴くには、それなりのトレーニングと辛抱が必要です。

上手に訊くには、スキルも、必要です。

そのための、**明日からスグに使えるスキル**をご紹介しましょう。

「クローズエンド」→「二者択一」→「オープンエンド」の質問術

相手をよく知る。――それが、交渉をスムーズに進めるカギ。より深く、より多くの話を引き出せれば、気持ちよく「ＹＥＳ」をもらうヒントもたくさん得られます。

上手に〝訊く〟ポイントは、３つ。

①話しやすい話題
②答えやすい工夫
③話を掘り下げる技術

いきなり、「最近、業績はいかがですか？」では、相手も答えにくいし、警戒してしまいます。まずは**相手が話しやすい話題**、本人が〝**話したい**〟**こと**から入ります。

「○○さん、ご趣味は何ですか?」
「最近、はまっていることはありますか?」

仕事以外の行動半径、交友関係、物事に対する基本的なスタンスが見えてきます。趣味の話は、相手仕様のオープニングを用意する際の好材料にもなります。

相　手「オフは、もっぱら野球観戦。WBC以来、すっかりハマっています」
あなた「オールジャパン、ここ一番というところで力を発揮して、世界一になりました。われわれも、常にここ一番のつもりで全力を尽くします」

相手が「○○が好き」と言っているのに、興味がない、あるいは自分の得意分野でないとわかると、「他には?」と切り返す人もいますが、これはNG。相手の興味に関心を持つ姿勢がないと、肝心のヒントはつかめません。

初対面の人や、まだ付き合いが浅い人との対話は、答えやすい流れを作ることも大事。緊張しているとスムーズに言葉が出てきませんし、よく知らない相手（あなた!）に、どこまで話すべきか、図りあぐねているはずです。そんなときは、

「クローズエンド」の質問→「二者択一」→「オープンエンド」の質問の順で、質問していきます。

「クローズエンド」の質問とは、ＹＥＳ・ＮＯで答えられる質問です。興味や好き・嫌い、今後の予定を聞いて、ＮＯと言われてしまうと、会話が続きません。ここでの質問は、**事実、あるいは過去の体験を問う質問**にします。

たとえば、ＩＴに関するコンサルティングを提案するとします。ダメな例とよい例は、

✕
「プロのコンサルティング、ご興味ありますか？」
「プロのコンサルティング、導入のご予定、ありますか？」

○
「いままで、プロのコンサルティングをお受けになったことは、ありますでしょうか？」

次に、「二者択一」の質問。最初の質問で「ＮＯ」をもらっても、こんなふうに展開可能です。

お客様「いいえ。何とか、見よう見真似で、社内で対応しています」
あなた「われわれの営業活動がまだまだ足りない、ということですね。
せっかくの機会ですので、ご紹介させてください。
仮にの話で結構ですが、○○様のご興味は、
効率化と効果の多様性でしたら、どちらでしょうか？」
お客様「まぁ、どっちかと言えば、効果かな」

そのうえで、自分の言葉で自由に語ってもらう、「オープンエンド」の質問をします。

「そうですか。効果も、いろいろな面で期待できますが、
△△様の会社のメインの業務をお聞かせいただけますか？」

第2の質問に対する、相手の答えを軸に話を掘り下げます。「効率化」を提案したいと思っていたとしても、ここで無理に効率化を話題にするのは逆効果となります。

〝しりとり式〟質問話法でキーワードを引き出す

オープンエンドの質問で会話のキャッチボールができたら、〝**しりとり式**〟**質問話法**で話を掘り下げていきましょう。相手の最後の単語を主語に、どんどん質問していきます。

お客様「実は先日、うちで**イベント**をやりまして……」
あなた「どんな**イベント**ですか？」
お客様「新製品のお披露目です。でも、**集客**に苦労しまして……」
あなた「**集客**の仕掛けは、どのように？」
お客様「招待状を送ったのですが……、やはり次回は他の**メディア**も、と思っているんです」
あなた「次回はどんな**メディア**を活用したいとお考えですか？」

カンタンそうですが、**よく〝聴いて〟いないと〝訊けない〟**質問です。

自分の〝聞きたいこと〟で頭がいっぱいになっていると、相手の最後の言葉をキャッチできません。

自分の聞きたいことを聞き出すために、答えを誘導するような質問をする人もいます。

✕ **「集客の仕掛けを変えたいんじゃないですか？」**
「次回は、メールやテレビを使いたいとか？」

でも、これでは相手に「聴いてもらえた」感を持ってもらえません。

研修でも、受講者同士、ペアを組んで、傾聴のトレーニングをします。

中には、相手がいくつもヒントを投げてくれているのに、自分の興味のある話だけ、深掘りしてしまう人もいますが、**相手の興味や考えを深掘りしていく**のが、傾聴の基本。

新しい話、意外な意見をいくつ引き出せたか――が、きちんと傾聴できたかどうかのバロメーターになります。

訊いているようで、実は、自分の話をしている人も結構います。最初のうちは、

○
「そうですよね」
「わかります」

――と、受け止められているのに、3分くらいすると、

×
「いや、実は、僕もこういうことがあって、で、よくこういうことってあるじゃないですか。私はこう思うんですけど、どうですか?」

――これは、質問ではありません。

質問は、ごくごく短く。

相手から求められない限り、自分の経験を語ったり、アドバイスしたりしないこと。悩みごとを聴く場合も、

「こうなんじゃない?」ではなく、
「どうしてだと思う?」
「こうしたらいいと思うけどどう?」ではなく、

「どうすればいいいと思う?」

と、相手が自分で答えを探す手立てを提供します。

トゲのある発言は、相槌でさりげなくトゲを抜いてあげましょう。

「だいたいさぁ、うちの会社、会議が長いんだよ」
「会議を効率よく進めたい、ということですね」

会議が長いということは〝わかってもらえた〟うえで、相手は何だか自分が建設的な発言をしたような気分になります。

整理されていない話も同様に、相手の言葉を使って、さりげなくまとめてあげます。

「○○しろって言うけど、××ってこともあったし、△△ってこともあるらしいし、難しいと思うんだけど……」
「○○を目指すには、××や△△を回避する方法を考える必要がある、ということです

ね」

「復唱→整理→前向きな発言」に言い換えることで、お互いの誤解も防ぐことができますし、自分の言葉を使って整理された意見は、相手も〝自分の意見〟として受け止めることができます。

「わかっている」ことを示すことは大切ですが、同調のしすぎは、かえって信頼を失います。**同調ではなく、共感を示すことが大切です**。

「わかっている」ことと、「同意している」は違います。同意できないときも、「わかっている」の相槌を省いてはいけません。

傾聴タイムは聴き手に徹することが大切ですが、反対意見を伝えておく必要があると判断したときは、**まず「わかっていること」を示し、そのうえで「ただし……」「だけど……」と、意見を表明しましょう**。「いやいや、それは……」と、いきなり反論してしまうのはＮＧです。

話を掘り下げる質問の「4つの型」

交渉のシナリオは、9割用意して、残り1割は相手の話から〝**相手の言葉**〟を使う。

――これは「STEP2」でも、お話ししました。

「1割」は、かなりのボリュームです。これだけのキーワードを集めるには、相当な努力と**集める〝道具〟**が必要です。

〝しりとり式〟質問話法も、その一つ。これに次の質問の「**4つの型**」を組み合わせて、できるだけたくさんのキーワードを引き出します。

①拡大型

答えが1つでない、相手によって正解がいろいろな質問。たとえば、

「**ご出身、東京だそうですね。東京って、どんな街ですか？**」

相手の考え、感性、志向を聴き出す質問です。

拡大型の反対は、特定型。「**ご出身、東京のどこですか？**」。これではひと言でキャッチボールが終わってしまいます。

②未来型

「**今年はどうしましょうか？**」。これは、相手の希望、ゴールを聴き出す質問。

「前回はどうでした？」といった過去型の質問は、事実確認はできますが、変えようのない話にしかなりません。

③肯定型

「**どうすれば、できると思いますか？**」。これは、相手に思考を促す質問。

同じことを訊くにも、「なぜ、ダメだったんですか？」という否定型の質問にすると、言い訳しか返ってきません。

部下に仕事の進捗を質す場合も、「その書類、どうしてまだできないの？」より、「**その書類、いつまでにできる？**」のほうが前向きな答えを引き出せます。

④代表的なオープンエンドの質問

優先順位を訊ねたり、「**詳しく聞かせていただけますか？**」と説明を依頼したり、論点や相手の視点を変えたいときも、オープンエンドの質問は有効です。

たとえば、相手は「コストを減らしたい」と言っているけれど、もしかして本当の悩みは成果が上がらないことかも？　と感じたときは、

「問題は、成果が上がらないことじゃないですか？」と指摘するのではなく、

「**いま、コストの話が出ましたが、効果はどうですか？**」と話を振って、相手に考えてもらいます。

特定型や過去型が悪いというわけではありませんが、意識していないと、特定型・過去型の質問が多くなってしまいがちです。意図的に拡大型・未来型の質問を盛り込むことで、話が広がり、**会話のリズムにもメリハリ**がつきます。

話を聴いたら、最後に必ず、相手の希望や意向を、クローズエンドの質問で確認します。

「……ということで、間違いないでしょうか？」

「……と、考えてよろしいですか？」

「他に検討しなければならないことは、ありませんね？」

静かに、ゆっくり、聴いてあげる。誘導しない、説教しない——が、傾聴のマナー。じっくり話を聴いて、事実や相手の真意を引き出し、ついでに希望、ゴール、課題解決のアクションプランも本人に自分の言葉で語ってもらいましょう。そこに、迷いがないことが大事。迷いのある「YES」をいくつもらっても、リコールやキャンセルにつながりかねません。

☞ 苦手なタイプの顧客や、嫌な上司の話を聴くコツは!?

苦手な人こそ、自分から、相手の懐に飛び込んでいきましょう。嫌な人の話に付き合うときこそ、おみやげ（メリット）をもらいましょう。どんな人にもいいところはある、それを引き出してあげる！　くらいのつもりで。いいところを指摘して、よく聴いてあげること。〝密度〟が作れない相手には、対話の〝頻度〟で勝負します。

ネゴシエーション研修を受けた、ある受講者のエピソードです。最初は、「いまの部署に異動してきたばかりで、周りはベテラン揃い。何を提案しても通らないし、多分、これからも（この研修を受けても）通らないと思う」と言っていました。

でも、研修後、

積極的傾聴のチェックポイント

- □ 客観的に、聴いていたか
- □ 辛抱強く、聴いていたか
- □ たとえ話を、聞き逃していないか
- □ 話のポイントを、ツカんでいたか
- □ 言葉以外の情報(態度、表情)を見逃していないか

「通らない理由がわかりました。私のほうが周りを受け止めていなかったから聴いてもらえていなかったのです。わからないことは素直に訊いて、相手の話をきちんと受け止めたうえで、自分なりの目線や、いままでの経験からの気づきを伝えたら、何だかスンナリ聴いてもらえました」

聴かないと、聴いてもらえません。意識して聴かないと、上達はしません。

お客様との雑談も、部下からの相談、上司のお説教も、耳と心を開いて聴きましょう。

STEP 4 記録に残らずとも記憶に残るクロージング

すがすがしい別れがチャンスを連れてくる

相手の話をじっくり聴きましょう。そして、
相手がその気になったら、具体的なアクションまで一気に持っていきましょう。

「じゃ、そのうち、またゆっくり」

と、あいまいにされる前に、

「ご理解いただけて、うれしいです。さっそく、次の会議までにプランを組み立ててご提案したいのですが、よろしいですか？」

と、次の手を打ちます。

ここで「ＹＥＳ」を引き出せたら、ゴールは目前です。

目指すゴールは、あくまでも双方合意のうえでの「実現」。

最後のツメを怠らないようにしましょう。

クロージングの鉄則1

どんなに小さくても、次につながるミニマムの「YES」をもらう

ゴールに幅を持たせ、ミニマムのゴールを高く設定しないことが大切です。

たとえば、その日は商談成立まで持っていけなくても、交渉のための、次のアポイントを取りつける。——それがダメでも、1両日中に補足資料を送り、再検討してもらう約束を取りつける。

交渉をスタートした時点のアイディアや希望の100%でなくても、交渉の結論に対しては100%のコンセンサスを引き出すことが大切です。

小さいからといって、ガッカリすることはありません。ミニマムな「YES」でも、「YES」はチャンス。ここが100%なら、差し戻しになることはありません。

クロージングの鉄則2

「成功パターン」と「危機回避パターン」の2通り、用意しておく

相手によって「伝え方」は変えますが、メッセージは変えません。

ただし、一度「NO」をもらってしまうと、次の交渉の敷居が高くなります。

あなたの話を聞いて、相手が「NO」を言い始めている――と、察知したら、最悪の「NO」を回避する方向で、ゴールを修正する判断も必要です。

それでも「NO」と言われてしまったときこそ、アサーティブにいきましょう。

「お時間を取らせてすみませんでした」ではなく、

「この機会をいただけて、うれしかったです」

すがすがしい別れは、必ずチャンスを連れて戻ってきます。

私も以前、こんなことがありました。

外資系アパレル会社と仕事をしたときのこと。何度も打合せを重ね、ほぼ受注という段階になったものの、本国の意向もあって仕事がキャンセルに。時間も多少の経費も費やした後でしたので、かなりガッカリしました。

それでも、「断られたときこそ、すがすがしく！」が、私のモットー。お付き合いのあった関係者に、「Thank you note（礼状）」メールを送りました。

それからしばらく経ってからのこと。「○○社の○○さんからお名前を聞いて……」と、そのアパレル会社の担当者が紹介してくれた案件が、2件、新たな仕事として舞い込んできました。

仕事がつながった相手とは、その後も密によい関係が続くので、放っておいても大丈夫。逆に、ボツになった相手こそ、きちんとあいさつしておかないといけません。担当者だって、断ったことを申し訳なく思ったりしているもの。相手の「申し訳ない」気持ちは、キレイさっぱり払拭してあげましょう。

クロージングの鉄則3

「YES」をもらったら、必ず「ありがとう」を伝える

あなたに「YES」を渡してよかった！　と、相手が満足するクロージングにしましょう。「ありがとう」の他に、もう一つ、プラスαを渡せればベストです。

「（ＹＥＳに対して）ありがとうございます。部長とお話しして、課題も見つかりました。（指摘に対して）ありがとうございました」

クロージングの「ありがとう」は、次の「ＹＥＳ」のオープニング。

アサーティブなクロージングは、より大きな「ＹＥＳ」を連れて戻ってきます。

Chapter 5

苦手な相手に「NO」と言う技術

——誠意と勇気とスキルがあれば、あなたが変わる、相手が変わる！

反論は〝サンドイッチ話法〟で

言いにくいことこそ、アサーティブに、しっかり伝えるべきです。マイナスの情報、ピンチな状況は、チャンスのきっかけ。それが相手にもわかるように話すことが大切です。

健全な議論に、反対意見はつきものです。考えや視点の異なる人がいるからこそ、会議の意味があります。**反対意見は、声に出して言うべきです**。

ただし、「**賛成**」「**同意**」「**感謝**」の言葉も、日頃からたくさん声に出しておきましょう。そうすれば、反対意見も言いやすいですし、相手も受け止めやすく、指摘の効果も上がります。

会議での反対意見、仕事の成果や提案へのフィードバックは、「**＋**」「**－**」「**＋**」**のサ**

ンドイッチ話法で伝えます。

まず、賛成できる部分（プラスの評価）を伝えたうえで、反対意見（マイナスの指摘）を表明します。そして、建設的な議論や具体的な改善につながる、プラスのコメントで締めくくります。

最初の「**＋**」をおざなりにしては、次の「**－**」も聞いてもらえません。賛成できるところを見つけて、必ずそこから切り出しましょう。

「**－**」は、単なる相手批判ではなく、あくまでも改善のための懸念事項の指摘です。

✕ **「もう少し人手があれば……」**
「キミに海外経験があれば……」
「あのとき、きちんとやっておけば……」など、

過去のこと、直せないこと、いまさらどうしようもないことを言ってはいけません。

また、「＋」も「－」も、具体的にハッキリと伝えることが大切です。

「悪くないと思うんだけど……」ではなく、**「いいと思います。」**と、言い切りましょう。

「ツメが甘いんだよねー」ではなく、**「○○については、市場調査が必要だと思います」**と、具体的な行動ベースで語ります。

「もうちょっとがんばってみて」ではなく、**「今週中に具体案を3つくらい出せますか?」**と、これも具体的な行動で示します。

たとえば、提案された企画へのフィードバック。次のように具体的に伝えると、聞き手も受け止めやすいですし、次に何をすべきかがよくわかります。

＋「わかりやすく、まとまっていたと思います。

特に、このアイディアは、いままでにない新しい視点ですね」

−「このアイディアをどう実現するのか。具体的な行動計画に踏み込めば、それを軸に議論ができて、実現までの道のりが早くなると思います」

あるいは、

「このアイディアを実現するには、○○部門の協力が必要ですね。どういう日程、段取りなら実現可能か、今週中にヒアリングしてください」

＋「方向性は見えました。いいものができそうですね。具体的な行動計画をもとに、来週改めてミーティングしましょう」

反対意見を言おうとすると、なぜか妙に攻撃モードになってしまう人がいます。攻撃モードの反論は、相手からより大きな反論を招くだけ。そうならないよう、発言する前に、自分の考えを整理しておきましょう。

①自分は、「何を」言いたいのか

たくさんあっても、ポイントは1つ、ないしは2つに絞ります。

②「なぜ」言いたいのか

上手に反対意見を伝える4つのチェックポイント

□ **Win-Winの基本に沿っているか**
（→反論もメリットがなければ聞いてもらえない）

□ **相手を全否定していないか**
（→受け止めるところは受け止め、正しい部分否定を）

□ **相手に恥をかかせていないか**
（→伝えるタイミングは適切か）

□ **共通のゴールのもとに提案・代替案があるか**
（→なければ単なるバッシング）

伝えないことで相手やあなたが被るデメリットは何ですか？

いま、この場で伝えるべきことですか？

「とにかく言ってやりたい」だけならやめましょう。

③相手の「どこ＝具体的行動」「何＝具体的意見」を批判・批評したいのか

具体的行動や意見に対してのみ批判・フィードバックし、その人の個性・性格といった個人的要素に踏み込まないことが鉄則です。

言うべきことが整理できたら、「あなたは……」「あなたの提案は……」ではなく、アサーティブに**「私は……」で始まる文章で発言しましょう**。

ある受講者が、研修後にこんなことを言っていました。

「確かに私は、いつも『あなたはそう言うけど……』と、相手を否定するところから反対意見を言っていました。だから相手も興奮して、猛反撃してくる。そんな相手に、『まぁ、そう興奮しないでくださいよ』と言って、さらに怒りを買っていた気がします。昨日の会議で、『私はこう思います』と始めたら、お互い最後まで冷静に話ができました」。

ちょっとしたことですが、とても大事なことです。

反論は早めに引き出し、「土壇場でNO」を防ぐ

会議での反論は、「するのも難しいけれど、されたときのほうがもっと難しい――」という人もいます。誰もがアサーティブに反論してくれるわけではありませんから、無理もありません。

でも、質問や反論が出るということは、相手があなたの意見に興味を持ってくれた証拠。歓迎すべきものと捉えましょう。そして、自分にプラスになるものをしっかり持ち帰りましょう。

冷静に反論を受け止める、一番カンタンなコツは、

言われたら、**まず「ありがとうございます」**と言うことです。

まず、指摘してくれたことに対して、感謝の言葉から始める。このひと言は、あなたにも、相手に対しても、クールダウン効果があります。

相手の反論に反論を返すなら、まず、相手の反論・指摘を繰り返します。そして、反論に対するあなたの「**答え**」を、**反論した当人ではなく、会議の参加者全員に向かって述べます。**――「**1対1**」**の応酬にしない**……ココがポイントです。

その先の議論も、まずは「YES」で受け止めて話を進めます。

×「**いやいや、そうじゃなくて……**」
「**だから、さっきから言っているように……**」ではなく、
○「**そうですね。よくわかります。ただ……**」
「**なるほど、そうだったんですね。それでは……**」

と、切り返してみましょう。

たったこれだけのことですが、かなり効果があります。

会議でも、交渉の場面でも、反論や質問が多いときより、まったく出ないときのほうが

実は要注意です。

特に交渉場面では、**声にならない「NO」**を見逃すと、自分ではうまくいっているつもりでも、最後の最後に「ＹＥＳ」を取り下げられてしまう可能性があります。


「仮に、問題になることがあるとすれば、どのような点でしょうか？」

「反対意見が出るとしたら、どんな意見が出ると思いますか？」

「こんな点が問題になったケースもありますが、御社ではいかがでしょうか？」


このように、あえて反論を引き出す質問を投げてみましょう。

こうした聞き方なら、相手も〝自分の意見〟と切り離して答えることができます。

「（私は言わないけど）こう言う人がいるかも」

「（私は大丈夫だと思うけど）社内で検討する際に、この部分が問題になるかも」――。

確かな「YES」をもらうためにも、こうした意見はキチンと吸い上げ、あなたの提案に活かしましょう。

アサーティブに「NO」を言う技術

都内の超一流ホテルでのこと。
ちょっと困ったことがあり、コンシェルジュに相談しました。

私　「○○をお願いできますか？」
コンシェルジュ　「それは難しいかと存じます」

難しい？　できないこともない？　念のため、確認しました。

私　「○○は、できなくもない、ということですか？」
コンシェルジュ　「できないというわけではなくて、大変難しいかと存じます」

できないなら、できないでかまいません。「できないわけではない」のなら、ぜひお願いしたいもの。

私　「絶対できないということではない、ということですか？」

コンシェルジュ　「絶対できないというわけではなくて、きっと、非常に、難しいかと存じます」

「NO」と言わないのが、コンシェルジュの仕事。でも、ビジネスの場面では、「NO」をハッキリ伝えることが大切です。

「NO」をあいまいにすると、相手は「YES」だと期待します。期待させておいて、「実は……」ということになれば、二度と交渉のチャンスは巡ってきません。「NO」と言わないこと、あるいは先延ばしにすることで、できない仕事を抱え込み、納期を守れなくなってしまったら、迷惑するのは相手です。

こういう場合は、きちんと**「NO」を伝えることが相手のメリット**。

「Win-Win」の提案として、アサーティブに伝えましょう。

アサーティブに「ＮＯ」を伝えるには、まず**相手の要求や依頼の内容、事情、優先順位をしっかり確認**します。そのうえで次の①～⑤のどれかで、「ＮＯ」を伝えます。

①条件を提示する

相手が求める１００％はできないが、「**70％、80％ならできる**」「**今日中は無理でも、明日○時までなら**」という条件を示す。

②代替案を提示する

「**値引きはできませんが、販促のお手伝いはできます**」など、相手の要求とは別の方法で課題解決のサポートを提案する。

③次の機会を明示する

きちんと事情を説明したうえで、今回は要求に応えられないがこんな時期・タイミングならできる、という具体的な可能性を示す。「**年度末は忙しいのですが、4月、5月は比較的余裕があります**」など。

④他のリソースを紹介する

他部署の名前だけあげて、たらい回しにするのはNG。紹介する場合は、あなた自身が紹介して、話をつなぐところまですること。

⑤軽々しく「YES」を言うことの〝相手にとって〟のデメリットを伝える

自分サイドの都合だけではNG。相手の立場から、断ったほうがいい理由を丁寧に伝えます。たとえば、

「先日ご依頼いただいた◯◯が大詰めを迎えています。さらに、△△をお引き受けすると◯◯にも支障をきたし、ご迷惑をおかけすることにもなりかねません。残念ですが、今回はお断りします」など。

言い方一つで、「NO」の印象がどれくらい違うか、「他部署からの協力要請」を例に、見てみましょう。

相手にとっては、かなり切羽詰った状況です。でも、あなたの部署も決算を控えて忙しく、要請に100%は応えられない——としましょう。

✕「無理です。うちも人手が足りないし、第一、予算も時間もありません」

理由を伝えているようですが、これは、すべてあなたの事情。そもそも、相手メリットで自分に何ができるか、検討すらしていない感じです。

✕「お手伝いしたいのは山々ですが、お役に立てるかどうか……。チームで検討してみないとわかりませんが、ちょっと難しいかもしれません」

バッサリと斬ってはいませんが、その場しのぎの感があります。険悪ではありませんが、ハズレな印象です。

待たせた挙句、「やっぱり無理です」では、相手は身動きがとれなくなってしまいます。

では、どうすればいいのでしょう。

○「状況、わかりました。チームで検討して、遅くとも明日午前中には、リーダーか私からお返事します。できるだけの協力はしたいと思いますが、毎年この時期は○○を控えて余裕がない時期ですので、100%はお応えできないことは、ご了承ください。

明日、午前中で遅いようであれば、残念ですが今回は他を当たられたほうがよいと思います」

いつまでに、誰から、返事をもらえるか、がクリアです。

100%は期待できないにしても、前向きに考えてくれていることがわかります。大事なことは、**相手にも、こちらの申し出を断る選択肢を提供する**ことです。

「NO」と言って次につながらなければ意味はありません。

明日につなげたい相手に「NO」を言う前には、次の4つのポイントをチェックしてみてください。

□ **Win-Winの基本に沿っているか**

（↓相手メリットで話せているか？）

□ **理由が明確か**

（↓相手が納得できる、具体的な理由を伝えているか？）

□ **代案を示せているか**

（→次につながる関係にするための大事なポイント！）

□ 不要な言い訳をしていないか

（→相手のためを思って言う「NO」は、誠意を持って堂々と伝える）

職場によっては、「NO」と言いづらい雰囲気があるかもしれません。「NO」と言ってしまうと、「やりたい仕事しかしない、わがままなヤツ」「能力がないヤツ」と思われてしまうのでは、と躊躇する人もいるでしょう。

中には、「部下の予定を考えずに、わりと突然『これ、明日までによろしく』って、頼んでくる上司がいるんです。本当は都合が悪くて『NO』と言いたいんだけど、言いづらい雰囲気があって」という人もいるでしょう。

でも、**上司のことも、自分のことも尊重したうえでの建設的な「NO」**ならば、言ってOK。「明日までは無理ですが、明後日までなら、コレも調べて、こんな企画書が作れます」と、アサーティブに伝えましょう。

「前向きな『NO』なら、自分も言いやすいし、きっと上司も評価してくれる。多分、これまでは、どうやって『嫌』と言おうかということばかり考えていたんだと思います。

『嫌』と『NO』は違うんですね」

これは、某電機メーカーで研修をしたときの受講者の声。

「気持ちよく『NO』を言うコツがわかって、何だかちょっと元気になりました」

そのとおり！　そこが大切です。

「相手に興味を持つことが相互尊重の第一歩。そのうえで約束を守ること、『YES』と『NO』をはっきり伝えること。きっぱり『NO』と言うことで、信頼感が高まることもある。利害がぶつかったときこそ、信頼が試されると考えています」

これは、某自動車メーカーの取締役がおっしゃっていた言葉。

私も、同感です。大きな意味で双方の「Win-Win」につながる「NO」を、恐れてはいけません。

すがすがしく人にモノを頼む6つのステップ

「ごめんねー、悪いんだけど、コレお願い。忙しいよね……ホント、ごめんねー」

人にモノを頼むときに、拝み倒したり、謝り倒す人、あなたの周りにいませんか？

本人は、低姿勢で、丁重に頼んでいるつもりでも、頼まれた人は何だか損をした気分がします。次に同じ人から頼まれたときは、

「またですかぁ？」

と、最初から「NO」モード。ますます頼みづらくなってしまいます。

仕事上のお願いは、**正しい理解を促し、継続性を高める**ことが大切です。

頼まれ事に「NO」を言うときも、頼み事をするときも、基本は同じです。常に、「相手のメリット」で伝えます。会話の早い段階で、小さな「YES」を1つ、2つ稼いでお

くと話がスムーズです。

人にモノを頼むときは、次の6つのステップを踏んで、話を進めましょう。

①プラスのオープニング

仕事ぶりや仕事の成果に対する**感謝・賛辞**を伝えます。

「○○の企画、順調に進んでいるようですね。ありがとう」

「A社へのプレゼン、部長に同行していただいたおかげでうまくいきました」

②説明する

事実ベースで現状や相手の行動を説明し、共通の認識を得ます。

「先月、こういうことがありましたが……」

③表現する

②の状況・行動に対する**あなたの考え**を、「私は……」が主語の文章で表現します。

「私は……と思います／思いました」

④明らかにする＝頼む

相手に何をして欲しいのか、建設的かつ具体的行動で示します。

「……してもらえませんか？」

⑤知らせる

④の行動を取ることで、**〝相手に〟どういうメリットがあるか**。あるいは、やらないとどういうデメリットがあるかを伝え、相手に〝判断材料〟を渡します。脅すことなく、なだめすかすことなく、伝えましょう。メリット・デメリットは、あれば両方、なければ片方だけでも伝えます。

「もし、あなたがそうしてくれたら／そうしてくれなかったら……」

⑥行動につながるイニシアチブ（＝自分も動くこと）を提示する

相手が④の行動を取るうえで、**助けとなるアクション**を提示します。

「これは後でもいいから」

「ここは私も～します」

いきなり④から入ってしまう人や、②と③がごちゃまぜになって感情論になってしまう人が結構います。

①②は、小さな「ＹＥＳ」をもらう大事なステップ。些細な頼み事でも、端折らずに丁寧に伝えましょう。

⑤が自分の都合やメリットだけになってしまっている人も、少なくありません。

でも、相手にメリットのない頼み事は、あなたも頼みにくいですし、「ＹＥＳ」ももらいにくくなります。難しい頼み事ほど、⑤のメリットと⑥のひと言が効いてきます。特に、他部署への依頼、あるいは上司に、会社の上層部との折衝を頼むときなど、相手が交渉・折衝しやすいよう、切り札となるカード（説得材料など）を提供することが大切です。

頼み事は、タイミングを図って伝えること。相手の反応を見ながら、話し方や言葉、シナリオを組み替える柔軟性も必要です。

グローバリンクのスタッフ・Fさんの証言

オフィスでも、「ごめんねー、悪いんだけど」は一切ナシ。ズバッと、さらっと、「勉強になるからがんばって！」

大串からは、仕事の指示、フィードバック、アドバイスがいつもズバッとさらっと飛んできます。なだめたり、すかしたりは一切ナシ。仕事のやり方やスキルは惜しげもなく提供してくれますが、その後はそれぞれが自分で自分を伸ばす。それが、「グローバリンク流」です。

研修のコンテンツは、かなり綿密に組み立てています。私たちスタッフも講師として研修を行いますが、大串からは言葉遣いや立ち居振舞いなど、結構うるさいことも言われます（笑）。

でも、彼女からの頼み事（――というより、リクエスト）で、一番印象に残っているのは、「のびのびやって」というひと言。のびのびやるには、相当な準備やトレーニングが必要です。

でも、「準備しなさい」ではなく、「のびのびやれる！」というプラスのイメージ（つまり私のメリット）をサラッと伝えて、やる気を引き出す。「のびのびやって、はみ出したら私が修正するから」と、行動につながるイニシアチブを伝えるのも忘れない。そんなアサーティブ効果をオフィスでもビシビシ実感しています。

Chapter 6

「Dos & Don'ts」を決めて実践するアサーティブ速習法

——まずは一つ、さっそく今日から!

素直な気持ちを上手に伝えるアサーティブ・コミュニケーション

アサーティブなコミュニケーションに、唯一無二の正解はありません。正解は、相手や状況によって、違ってきます。

大切なことは、まず、あなた自身の**優先順位を決める**こと。あなたの主張やメッセージを伝える前に、「何のために、どうしたいのか」を考えます。

たとえば、文句を言いたい相手がいるとします。

あなたは、「いま、文句を言ってスッキリしたい！」のか。

それとも、「明日も、その人とつつがなく仕事がしたい」のか——。

自分にとって、どちらが大事かを考えてみます。

自分の優先順位に問いかけて、それが後者であるなら、状況や相手によっては、言葉を飲み込む、というのも一つの選択肢です。

〈なりたい自分〉に照らして考えれば、おのずと答えが見えてきます。その場、その場の優先順位だけでなく、ちょっと先の〈なりたい自分〉や**長期的な目標**も、決めておきましょう。

自分に正直であることが、何よりも大切です。

アサーティブ・コミュニケーションは、その**正直な気持ちを上手に伝える**ための技術です。

「相手を変えようとするのではなくて、自分の優先順位を考え、伝え方をほんのちょっと工夫する。それだけで相手が変わる。最初は正直、びっくりしました」

これは、某メーカーの若い受講者の言葉。研修後、職場に戻って、変化を実感してもらえたようです。

「自分を曲げなくていい。曲げないけれど、ちょっと工夫する。学んだことのすべてを実践できているわけではありませんが、それでも苦手だった上司とのやりとりがスムーズになって、チーム全体の動きもよくなった気がします」

あなたが大事。あなたと同じように、相手も大事。そう考えることが、「ちょっと工夫する」の根っこ。その気持ちがあれば、きっとうまくいきます。

「わりと、言いたがりの社員が多いんです。主張はするけど、人の話を聴かない」

そう嘆いていたのは、某大手外資系企業の人事担当者。

「みんな、周囲の人とうまくコミュニケーションを取りたいとは思っているんだけど、なかなかうまくいかない。うまくいかないのは、どこかで〝相手より自分〟と思っているから。相手のことを考えているようで、実は無意識のうちに、自分自身のメリットに強くこだわっていたり……」

自分のストレスや阻害要因を排除することばかり考えるのではなく、相手のストレスや阻害要因をなくしてあげましょう。そうすれば、おのずとあなたのストレスも解消されて、お互いに気持ちよく仕事ができる——それが、アサーティブ・コミュニケーションの効用です。

上司も、部下も、得意先企業の担当者も、**交渉相手はあなたの大事なパートナー**です。叩きのめしたり、孤立させてはいけません。

その人にとっての、**頼れるパートナー**を目指しましょう。

「わかったこと」を実行するかどうかで大きな差がつく

日々の小さな交渉も、ここ一番の大きな交渉も、基本は同じ。使うべき〝道具〟も同じです。

これまで、様々な〝道具〟をご紹介してきましたが、どれも難しい道具ではないので、**社会人経験の浅い方も「明日からすぐに」**使えます。難しい道具ではありませんが、**交渉のプロにとっても「明日からすぐに」**使える、有用な道具です。

ただ、どんな道具も、持っているだけではいけません。

「Dos＝やること」と**「Don'ts＝やめること」**を一つずつ決めて、日々実践しましょう。一度に全部と欲ばらないこと。「続かない」と身につきません。

伝える相手（たとえば上司）を1人決めて、丁寧に対話してみましょう。

みんなによく思われたい――では、結局誰にも評価されません。

たった一つでも、変化は**実感**できます。

「私が心がけていることは、相手からもらった時間を大事にする、ということ。上司にしても、お客様にしても、まず『5分だけ、よろしいですか？』『今日のお打合せ、○○と○○をご検討いただきたいので、1時間ほど予定しておりますが、よろしいでしょうか？』と、先に確認する。いままでは、何と何をそろえておけば、後は話の流れで……というやり方をしていましたが、あらかじめ自分で時間を決め、その中で相手に納得してもらえるような話をするために、前より準備に時間をかけるようになりました」

（メーカー・受講者）

第3章で紹介した〝予告〟のスキルです。そのために、しっかり準備するようになれば、「YES」をもらえる確率も高くなります。

「反対意見の伝え方がまずくて、相手を不快にさせてしまう——というのが、課題でした。最初に選んだ『Do』はとにかく削る。ムダな言葉や話をざっくりそぎ落とす。15秒スピーチで、いかに自分がムダな話をしていたかを実感したので……。伝えるポイントを絞ると、その分相手の話を聴けて、反対する理由がないことに気づくことも」

（IT企業・受講者）

話し方を変えたら、聴き方まで変わったという好例です。こうなれば、相手からの「YES」もグッと近づきます。

正しい**道具**を、正しい**プロセス**で、実際に、どんどん使ってください。

正しく場数を踏むことが、上達の早道です。使いっ放し、話しっ放しにしないで、「ここはうまくいった！」「今度はこうしよう」と、**振り返り**を欠かさないことも重要。そうすれば、コミュニケーションのスキルは**必ず上達します**。

次ページに、「アサーティブ・コミュニケーションの達人になるためのランダム・チェックリスト」を用意しました。

〈なりたい自分〉を目指して、まずは、一つずつ、一人ずつ。手応えを感じたら、少しずつ増やしていきましょう。

アサーティブ・コミュニケーションの達人になるためのランダム・チェックリスト

□相手の話を聞いて、共感を示す
□話を聞くときは、自分の意見をしゃべりすぎない
□答えを引き出す質問をする
□答えにくい質問はしない
□話を整理して、まとめてあげる
□話を広げすぎない
□ニュートラルな状態で、話を聴く
□オーバーリアクションをしない
□相手を追い込まない
□発言する前に、「誰に」「何を」「なぜ」伝えたいのかを再確認する
□あいまいな表現を使わない
□意見と事実をきちんと分けて伝える
□「私は……」で始まる話をする

□話のポイントを絞る（言わない勇気を持つ）

□シンプルな言葉で、わかりやすく言い切る

□「えー」「あのぉ」を減らす

□「すみません」を「ありがとう」に変える

□不要な言い訳をしない

□謙遜しない

□時間を守る

□正しい緊張感をキープする

□（話をする／聴くときは）しっかりアイコンタクトを取る

□背筋を伸ばし、自然体で会話に臨む

□短い自己紹介もプレゼンも、双方向の会話にする

□投げかけをしたら、無反応でも3秒は待つ

□握手で始めて、握手で終われる会話を心がける

□相手の興味に関心を持つ

□相手仕様のオープニングとクロージングを工夫する

□安心して聴いてもらえるよう、「予告」を入れる

□主張の根拠は、「相手メリット」で伝える
□反対意見、フィードバックは「＋・－・＋」で伝える
□相手の意見に同意できないときも、まず「わかっている」ことをしっかり伝える
□反対意見は、正しい部分否定で伝える（個人攻撃しない）
□反対意見を伝えるときは、共通のゴールのもとに代替案を示す
□「NO」を伝えるときは、YESの条件／代替案／次の機会／他のリソースのいずれかを添える
□交渉のシナリオは9割用意し、残りの1割は相手の話から相手の言葉を選ぶ
□交渉は「Give＆Given」。渡せるものは惜しみなく渡す
□相手ができそうなこと、したいと思えることをゴールにする
□相手の行動形で、ゴールを伝える
□相手になくて、自分にある強みを探す
□大事な交渉の前には、声に出してリハーサルする
□「YES」をもらったら「ありがとう＋α」を伝える
□「NO」と言われてしまったときこそ、すがすがしく別れる

巻末付録

「アサーティブ・コミュニケーション力」チェックシート

付録1　あなたの「アサーティブ度」1分間チェック

ビジネスシーンにおける、普段のあなたの言動を振り返り、当てはまる番号を選んでください。全部で15問。制限時間は1分です。

1＝そう思う／そのとおり
2＝どちらとも言えない
3＝そうは思わない／そうはしない

□　①人に何かを頼むとき、必要以上に遠慮することなく、ストレートに頼むことができる

□　②人から何かを頼まれたとき、それが自分のしたくないことであれば、必要以上に罪悪感を感じることなく、「ＮＯ」と言うことができる

□ ③大勢の人を前にしても、遠慮したり、不安を感じることなく、話をすることができる

□ ④会議の場でも、自分の伝えたいことは、きちんと伝えている

□ ⑤ミーティングの場で、大多数の意見が自分の意見と違ったとしても、遠慮することなく自分の意見を伝え、その理由を語ることができる

□ ⑥上司など、自分より目上の人に対しても、自分の正直な意見を自信を持って伝えることができる

□ ⑦周囲の人の行動によって自分が迷惑を被ったとき、あるいは被りそうなとき、相手が誰であっても、その人にその事実をきちんと伝えることができる

□ ⑧失敗をしたときは、それをきちんと認めることができる

□ ⑨怒り、苛立ち、失望といった強い感情を抱いたときも、それを口に出して正直に言うことは私にとってそれほど難しいことではない

□ ⑩自分とは違う意見を持つ人の話にも耳を傾けることができるし、その中から学ぶこともしばしばある

□ ⑪自分の考えやポリシーを語るとき、その対極にある考え方・やり方を「バカバカしい」と否定することなく、自分の意見は意見として、ニュートラルに語ること

ができる

□ ⑫私は、自分の要望が他の人の要望と同じくらい大切なものだと信じているし、その要望を満たす権利があると考えている

□ ⑬私は、たいていの人は能力があって信頼に足る人であり、権限委譲することは問題のないことだと思っている

□ ⑭初めてのことにトライしようというとき、自分はきっとそれができるようになる！　と、確信して挑むことができる

□ ⑮社交的な会合などで、初対面の人と会話するのは楽しい

◆◆◆

※採点方法：1＝2点／2＝1点／3＝0点

・25点以上➔あなたこそMr.／Ms.アサーティブ！　ただ、日本のビジネス社会では「主張が強すぎる」と受け取られることも。言葉の選び方・伝え方に少し注意しましょう。

・21〜24点➡かなりイイ線いってます。腕を磨いて、ワンランク上の交渉スキルを身につけましょう。

・15〜20点➡惜しい！　ちょっとしたコツと努力で、これまで苦手意識を持っていた相手とも気持ちよく、自信を持って会話できるようになります。

・14点以下➡〝アサーティブな自己主張〟を目指して、トレーニングを積みましょう！

このチェックは、交渉の打率を上げる前提条件を「どれだけクリアできているか」をざっくりと自己確認していただくためのものです。

質問の①②は、自分の意見を〝言い切れる〟かどうかを見る項目。③〜⑤は、自分の意見を複数の人の前で主張する力、⑥⑦は相手が誰であるかに関係なく主張する力を見る項目です。

⑧⑨では自分の〝感情〟をきちんと伝えられるか、⑩〜⑬は自分と相手・周囲の両方を、同じように尊重できているかどうか、⑭⑮は新しいことにチャレンジする積極性の高さを見る項目です。どの質問に「3」をつけたかで、あなたのウィークポイントが見えてきます。

①〜⑧に「3」が多かった人は、もしかすると周囲から「カンタンな人」「あの人なら（多少無理を言っても）やってくれる」と思われているかもしれません。逆に、①〜⑧に

ズラリと「1」が並んだ人は、周囲に「手強い人」と思われてはいませんか?

全体的に「2」が多い場合は、カンタンな相手には「手強い人」、難しい相手を前にすると「カンタンな人」になるタイプかもしれません。

得意な人を作る人は、苦手な人も作ってしまいます。ビジネスシーンでは、相手が誰であろうと、ブレない自分を持つことが大切です。常にニュートラルな自分軸を持つ。それが「アサーティブ」の基本です。

どの項目に「3」があっても、採点数が低くても、心配は無用です。正しい「道具」と正しい「プロセス」を知ったうえで、正しく「場数」を踏み、その都度、正しく「振り返り」をすれば、誰でも、何歳からでも、コミュニケーション力は必ず伸びます。

付録2

あなたの「表現力」1分間チェック

自分の〝表現のクセ〟を知り、相手目線で弱点を意識する。これだけでも、交渉相手との心の距離はグッと縮まります。

最初から相手を「NO」モードにさせない、あるいは疑いモードにさせないスタイル。カッコいい自分、仕事ができる自分を演出するのではなく、安心してあなたの話を聞いてもらえるコミュニケーション・スタイルを目指しましょう。

◆ ◆ ◆

普段のあなたの言動を振り返り、当てはまるものに○をつけてください。

全25問。制限時間は1分です。

A

□ ①人の名前、固有名詞、数字は正確に言える
□ ②正しい敬語を使える
□ ③論理的に話すこと／書くことができる
□ ④ボキャブラリー（語彙）が豊富で、その場にふさわしい言葉を使える
□ ⑤前向きで、肯定的な話ができる

B

□ ⑥発音は明確で、声もよく通るほうだ
□ ⑦状況に応じて、大きな声で話すことができる
□ ⑧テンポよく、メリハリのきいた話し方をしている
□ ⑨相手の反応を確認する〝間〟を持つことができる
□ ⑩中低音の穏やかなトーンで話している

C

□ ⑪いつも笑顔で話をしている
□ ⑫ときどき、自分の表情を鏡でチェックしている
□ ⑬話をするときは、相手の目を見て話している
□ ⑭話を聴くときは、相手の目を見て聴いている
□ ⑮真剣な表情、熱意ある表情、明るい表情など、表情にメリハリをつけている

D

□ ⑯人と話をするときは、姿勢に気をつけている
□ ⑰きちんとした座り方をしている
□ ⑱人と話をするとき、腕組み・足組みはしない
□ ⑲歩くときの姿勢にも気を配っている
□ ⑳どんな場面でも、素早く、落ち着いて行動できる

E

□ ㉑初対面の人と話すときは、相手との距離に気を配っている
□ ㉒人と話をするときは、対面角度にも気を配っている
□ ㉓会議・会合の場では、座る位置に気をつけている
□ ㉔プレゼンテーションする際は、よく考えて自分の立つ位置を決めている
□ ㉕交渉に臨む際は、場所やタイミングをよく考えて選んでいる

◆◆◆

「どうかなぁ」「やってるつもりだけど……」と迷った人、「○」の分布に偏りがあった

人もいるのではないでしょうか。これは、あなたの印象を決める5つの要素についてチェックするツールです。

Aは「言語コミュニケーション」、Bは「周辺言語（話し方）」、Cは「表情」、Dが「立ち居振舞い」、Eは「空間演出」に関するチェックポイントです。

➔全体的にチェックの数が多い人は、コミュニケーションの基本をクリアできている人。あなたを「任せて安心な人」と評価している人も多いと思います。できていない（自信を持ってチェックをつけられなかった）ポイントを手帳に書き出して、ときどき意識してみてください。

➔「記憶力が弱くて……」「敬語は苦手」「論理的か……と言われると自信がない」など、Aのチェック数が少ない人もいると思います。一朝一夕にできるようにはなりませんが、ちょっとした工夫と、気遣いと、トレーニングで、伸ばすことはできます。「これを覚えていないとガッカリされる」「こういう言葉遣いをすると、カチンとくるかも」「どんな順番で、どう話せばわかりやすいか」と、相手の耳になって考える習慣をつけることから始めましょう。

➡Bにチェックが少ないと、せっかくの提案をきちんと聞いてもらえていない可能性があります。人に何かを伝える前に、一呼吸おいて、声の大きさ、トーン、リズムを意識しながら話してみましょう。持ち声がソプラノの人も、テノールの人も、緊張しすぎると、テープレコーダーを高速再生しているときのように、高く、聞き取りづらい声になってしまいます。リラックスして話すことを心がけてください。

➡Cにチェックが少ない人は、「何を考えているんだろう……」と思われているかもしれません。鏡の前でいろいろな表情を作ってみてください。笑った顔、怒った顔、困った顔、つまらなそうな顔、真剣な顔。自分が好きな表情のバリエーションを少しずつ増やしましょう。実際に人と話すときも、心に鏡を置いて、頭の中で自分の表情を確かめながら、話してみましょう。頼み事をしたとき、表情一つで相手に「YES!」と言ってもらえる確率が高くなります。

➡Dにチェックが少ない人は、悪気はないのに「横柄な!」とか、実は几帳面な性格なのに「だらしのない人かも……」と、第一印象で損をしている可能性があります。まずは、一番ラクな姿勢で、鏡の前に立ってみましょう。次に、背筋を伸ばし、アゴを引きます。印象の違いを実感することが、何よりのクスリです。
同様に、座った姿勢もチェックしてみましょう。応接室のソファーに座って商談中の自分を思い出してください。両ひざを大きく開いていませんか？　あるいは会議の席で、机にひじをついたりしていませんか？　通勤電車やホテルのロビーで観察すると、座り姿勢のいいお手本、悪いお手本がたくさん見つかるはずです。堂々として、好印象な人の座り方をマネしてみることから始めましょう。

➡Eの空間演出は、自分をよく見せるためではなく、相手の立場で考えることが大事。場所、タイミング、座る位置。特に相手との距離・角度は、話が弾むかどうかを決定する大きな要素です。

●距離は、双方が手を伸ばせば、軽くひじを曲げた状態で握手できるくらい。肩と肩との距離が１２０センチくらいがベストです。
この距離なら、両者が「ＹＥＳ」と思えば握手できるし、どちらかが「ＮＯ」と手を引っ込めれば、相手が手を伸ばしても届きません。自分の領域を侵される（押し切られる、無理に「ＹＥＳ」と言わされる）という不安を与えることなく、いつでも握手ができる距

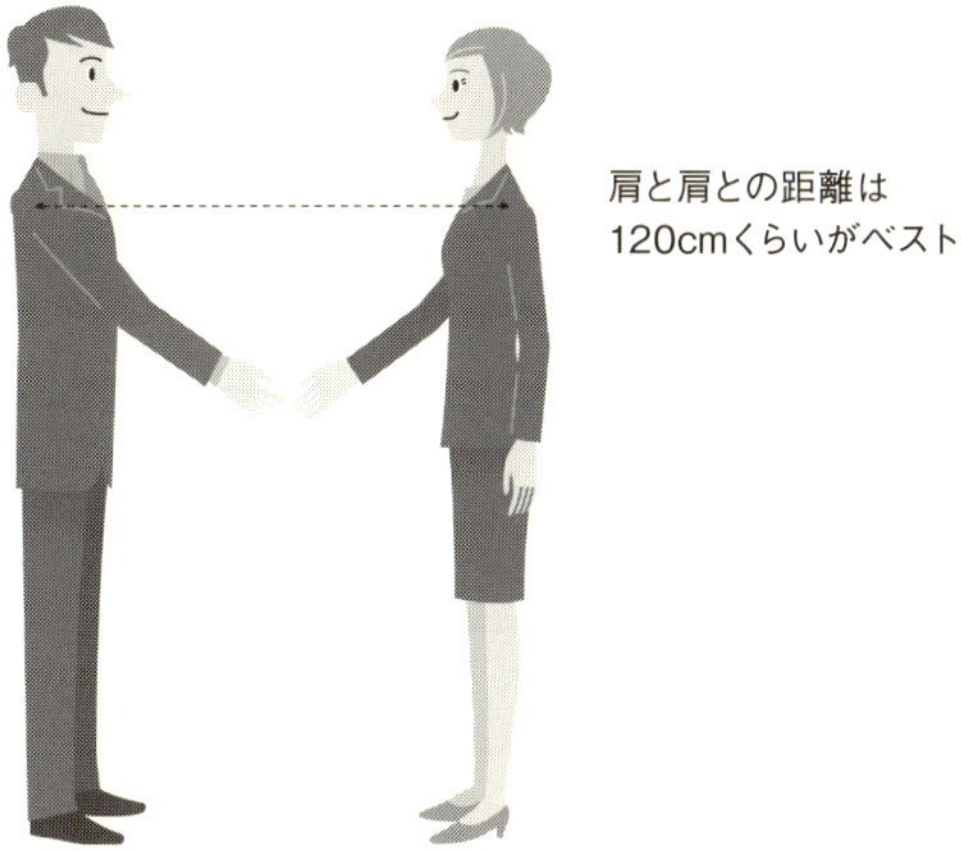
肩と肩との距離は
120cmくらいがベスト

離です。

●真正面で向き合うのは、あなたにとっても、相手にとっても緊張感が高いもの。着席して会話するときは、テーブルの角を挟んで隣り合う位置か、向かい合わせに座るなら、椅子一つ分、左右にずらして、正面を避けるといいでしょう。

どうしても真正面になるようなら、２人の間にメモや資料を置くなど、目線を外す先を用意すると場の緊張感をやわらげられます。

◆◆◆

ここにあげた25のチェックポイントは、どれも「目指したい姿」です。５つの要素を、相手目線で〝意識〟することから始めましょう。一度にすべて！　と欲ばらずに、自分の一番強い部分をさらにレベルアップすることから始めましょう。

アサーティブな自己主張力を磨くうえで、特に気をつけたいのは、⑤⑨⑬⑭です。第4～5章に具体的なヒントをたくさんあげていますので、参考にしてください。

自分から見た自分と、他人の目に映っている自分は、必ずしも一致しないものです。先のチェックリストで「できている！」と思ったことや、「ちょっと自信がないなぁ」と思ったポイントについて、周囲の意見を聞いてみてください。

「いつも笑顔！」のつもりが、周囲の目には「ちょっと自信なさげな笑顔」に映っていたり、「声が小さくて通りにくい」と思っていたのに、「きちんと聞こえているよ、ゆっくり話してくれるから聞きやすい」と、好評だったり。相手目線、他人目線で自分のスタイルを再チェックしてみましょう。

交渉相手のコミュニケーション・スタイルを知ることも、交渉をスムーズに進めるうえで大変役に立ちます。25のチェックポイントを思い浮かべつつ、観察してみましょう。チェックが多いカテゴリーは、その人が意識している、あるいは大事にしているポイントかもしれません。姿勢を気にしている人は、相手の姿勢も気になります。言葉が的確で、ムダがない人は、言語能力の高い人を評価します。

なかなか「うん」と言ってくれないクライアント、いくらがんばっても評価してくれない上司。気をつけて、観察してみてください。

付録3 相手のタイプ別攻略法

どんなにいいボール（主張やメッセージ）も、キャッチャーミットのないところに投げてしまっては、受け止めてもらえません。交渉をスムーズに進めるには、相手のストライクゾーンを知り、相手が受け止めやすいボールを投げることが大事。

まずは相手をよく観察して、タイプを見極めましょう。コミュニケーション・タイプを次ページのように大きく4つに分けてみます。

ポーカーフェイスの理性派

「そもそもデータ」のフクロウタイプ

聴く

- データを何より重視する
- 冷静な分析家タイプ
- 「その根拠は？」が口グセ
- リスクを避けたがるタイプ

■特性
論理的
カンペキ主義
まじめ
計画的
慎重
コツコツ

「とにかくメリット」のライオンタイプ

話す

- メリットの有無をクールに見極める
- 「ある」と判断すれば、リスクを負うことも恐れない
- 推進者タイプ

■特性
自主的
率直
決断力がある
実務的
効率的
テキパキ

顔に出る人情派

「やっぱりヒラメキ！」のサルタイプ

- 斬新で夢のある提案が大好き
- 前例がなくても、「イケそう！」と感じたら勝負に出る
- リスクをあまり考えないタイプ

■特性
社交的
熱心
享楽的
自発的
行動的
ワイワイ

「なるべく調和」のヒツジタイプ

聴く

- 何をするにも、周囲との“和”を重んじる友好タイプ
- 新しいことには及び腰
- リスクも「みんなで」負いたいタイプ

■特性
支援的
協力的
調整外交的
忍耐強い
忠実
和気あいあい

次に、人それぞれの優先順位と、コミュニケーションスタイルの2つの軸で分類します。事実を第一に捉えたい「ポーカーフェイスの理性派」タイプなのか、人間関係がとにかく大事という「顔に出る人情派」なのか。ペースがゆっくりめの「聴く」タイプか、早めのペースの「話す」タイプか。

あなたがメッセージを届けたい相手はどのタイプでしょうか。

タイプ別・アプローチのコツ

➜「そもそもデータ」のフクロウタイプ

データ、裏づけ、根拠を重視するタイプ。「おそらく……」「こんな感じで」「……ではないかと思います」といった、あいまいなメッセージや思いつきのアイディアは通用しません。

交渉にあたっては、客観的データや資料をしっかり提示すること。余計な愛想や演出は不要です。カンペキ主義——だから、決断にもじっくり時間をかけるタイプ。決断を急かしてはいけません。熟考したことを強調し、相手にも考える時間と十分なデータを提供しましょう。

YES! をもらうカギ

「WHY」……あなたの提案に興味を持てば、きっと質問してきます。そこで、相手が納得するだけの十分な裏づけ、データを提供することが大事。

効果的メッセージ

「データは、すべてそろえてあります」

「過去5年間の事例を、すべて調べてきました」

こんな交渉トークはNG!

根拠がない、話が整理されていない、その場しのぎの提案。

↓

「とにかくメリット」のライオンタイプ

話は単刀直入に切り出しましょう。何がメリットなのか、ポイントを絞って、テキパキと強調します。「そもそもデータ」のフクロウも、「とにかくメリット」のライオンも、事実を重視するタイプ。前者は10ある事実のすべてを求めますが、後者には10のうち、肝となる2、3だけでOK。全部持ち出すと「話が長い!」「で、要点は?」と、突っ込まれます。最終決定は、自分で下したいタイプ。メリットも、デメリットもキチンと伝えたうえで、選択肢を複数提示し、判断を委ねるのがベストです。

YES! をもらうカギ

「WHAT」……どんなメリットがあるのか。どれくらいのメリットがあるのか。具体的な成果や、効用がしっかり見えるよう、プレゼンすることが大事。

効果的メッセージ

「ポイントは、3つあります」
「3つの選択肢をお持ちしました」

こんな交渉トークはNG!

余計なアイスブレイク、結論の見えない長い話。

↓「やっぱりヒラメキ！」のサルタイプ

このタイプに細かいデータは不要。データを積み上げて「絶対、安全」な案を提示するよりも、夢やビジョンを共有し、「他にはない」「まったく新しい」アイディアを投げたほうが好反応。

「なるべく調和」のヒツジも「やっぱりヒラメキ！」のサルも、人間関係を重視するタイプですが、前者が1対1の和やかな関係を得意とするのに対し、後者は大勢の中で注目されるとがんばるタイプ。どんどん発言させ、話に巻き込んでいきましょう。とにかく一緒に楽しんでもらうことが大事！

YES！をもらうカギ

「WHO」……誰のアイディアか。誰が喜んでくれる提案なのか。自分も楽しめる仕事か。その提案が生み出す活気、人の動き、笑顔が目に浮かぶような話をする。

効果的メッセージ

「○○さんのご意見を、ぜひうかがわせてください」

「これは、御社だからこそできる企画です」

こんな交渉トークはNG!

単調でサプライズのない、一方的に聞かされるだけのプレゼン。

↓

「なるべく調和」のヒツジタイプ

周囲への影響や他社の動きを気にする、安全第一主義者。前例や他社の事例など、〝安心材料〟となるデータを提供し、周囲や関係者に迷惑がかからないことをアピールしましょう。

話を始める際も、いきなり用件を切り出すのではなく、共通の知人や体験といった話題から入り、緊張や警戒を解くことが肝心。全員合意のうえでの決断を望むタイプ。相手が周囲の人を説得する際に使える材料をたくさん渡してあげると、「YES」をもらいやすくなります。

YES! をもらうカギ

「HOW TO」……どうすれば、トラブルが起きないか。リスクを最小限に抑えられるか。みんなを説得できるか——。その答えを提供することが大事。

効果的メッセージ

「業界で広く使われています」

「事故例は過去1件もありません」

こんな交渉トークはNG！

一般ウケしない、ニッチな話。リスクのある話。強引な提案。

ビジネスの交渉ですから、どのタイプに対しても、簡潔、かつ的確に、相手メリットで話すことが大基本。ただ、どの要素を、より強く打ち出せば伝わりやすいかは、タイプによって異なります。

相手が何を欲しがっているかがわかれば、交渉は、驚くほどスムーズにいくものです。口グセや普段の行動、仕事ぶりを観察して、交渉相手の〝タイプ〟を見極めましょう。大事なのは、そのくらい相手に関心を持つということです。

あとがき

したいことを「したい」と言う。

して欲しいことを「して欲しい」と言う。

なりたい自分をイメージして、周りに伝える。


年間276日、研修現場に立つことで、当たり前のことができていない人が少なくないことに気がつきました。

誰にもそれぞれいいところがあるものです。

逆に、どんな人にも改善の余地があります。

褒め言葉を素直に受け止め、マイナスのフィードバックも前向きに受け止める――そうすることで、日々進化の可能性が広がります。


ごく自然なことだと思っていましたが、実際には、褒められると照れて否定し、マイナスのフィードバックには嫌悪の感情が先立って素直に受け止められない人が多いことにも気づきました。

しかし、研修中にほんの少しのヒントを提供することで、終わる頃にはすっきりした表情になって「明日、さっそく試してみます！」と帰っていく人たちが何人もいました。こんな人たちを毎日見ていると、

「道具を持っていなかっただけなんだな。もったいないな！」

と、日々実感しています。

私が学校を卒業して最初に入った会社は、日本ヒューレット・パッカードでした。

そこで、当時は前例のなかった「女性の海外派遣」の夢が叶ったのは、常に「アメリカに行きたい！」と、上司にアピールしていたからかもしれません。

タイミングや幸運、周りの人たちの理解と尽力が重なった結果ですが、「行きたい」と私が伝えていなければ、きっと実現しなかったでしょう。

現在の会社の立ち上げも、「やってみないか」とたまたま投げかけられたチャンスに、「やってみたい！」と声に出したところから始まりました。

これもまた、周りの人たちの理解や協力のおかげで実現したことですが、「やってみた

い」「これを手伝って欲しい」と自分が伝えていなければ、どんなに親切な人も協力してくださりようがありません。

すがすがしい自己主張は、ストレートに相手に響きます。

もちろん、相手にも断る自由がありますし、思いどおりにいかないこともたくさんあります。

それでも、「もしかしてこんなことを言ったら迷惑かなぁ、……いや、意外とそうでもないかもしれない……」と悩んでいても始まりません。

相手も嫌なら嫌と言ってくれるでしょうし、そもそもまったく嫌ではないかもしれません。お互いに行間を読み合っているつもりで、誤解を重ねてしまっては意味がありません。きちんと正々堂々伝えてみてください。

「でも、相手が強気で強引だから無理です……」

研修中にもよくお聞きする言葉ですが、上司と部下、営業の第一線とアシスタントという関係の方々の会話を聞いていると、しっかり言い切っている部下やアシスタントのほうが結果的には相手からの評価が高くなる傾向にあります。

もちろん、単なる「NOと言う人」では先につながりようもありませんが、ときには「NOと言うこともできる人」であって欲しいものです。

「これは日本的ではないのでは?」という方もいると思いますが、普段は遠慮しすぎて主張できないことが多いのに、ときに「そもそもあなたは……」と思いっきり相手を全否定して、たたき切ることが「日本的」ではないはずです。

相手のWinに関心を持って、相手の話をよく聴く。そのうえで、相手に聴いてもらえるメッセージを発信する。

正しい自己主張って、そういうことではないでしょうか。

相手に届いて初めて自己主張です。

「俺に言わせりゃ……」とか「今日こそは言ってやったよ」では、「言わせてもらうチャンスのない人」「話を聴いてもらえていない人」であることを自ら表明しているようなものです。

自己主張がすがすがしくなるか、暑苦しく終わるかの大きな分岐点は、「相手が聴きたい話」になっているかどうかということです。

本気の相手目線で、建前でない「Win-Win」を目指せば、きっとあなたの主張は相手に届きます。

とは言え、私自身、「本気の相手目線」に気づいたのはわりと最近のこと。

もっとずっと若かりし頃は、「正論言って何が悪いの」という意識がどこかにあって、「私の意見が通る」ことが何より大切だったような気がします。

当時は、確かに自分の意見を通していましたが、必ずしも自分の味方を増やしたり、可能性を最大限に広げることはできていなかったように思います。

いつ、どうして気づいたのか、はっきりとは思い出せないのですが、いまは本当に「本気の相手目線」です。

もちろん、自分のＷｉｎは大事ですが、自分にＷｉｎをもたらしてくれる相手のＷｉｎとは何なのか、常に真剣に聴いて、観察して、尊重しています。

そこに気づいてからは思い切り言い切っているのに、相手も納得してくださることが多くなりました。

「情けは人のためならず」と「Ｗｉｎ-Ｗｉｎ」の根っこは同じだと思います。気づいてしまえばなんてことないことですが、そこに至るまでには何年もの月日がかかるものです。

今回、本を出したいと思ったのは、その「気づき」をなるべく多くの方に、なるべく早く会得していただきたいと考えたからです。

精神論ではなく、今日から使える具体的スキルを満載したつもりです。

どれか一つ、まずは実行してみてください。

きっと相手の表情と反応が変わります。

もし、相手の反応が変わったとすれば、それはあなたの態度と言動が変わったからです。

自分が何をしたいのか、何を言いたいのかは自分で選びましょう。

自ら選んでいる人は、自らも「選ばれる」存在になります。

いろいろなテーマで日々研修をしていますが、会社の国籍を問わず、業界や職種も関係なく、基本的なコミュニケーション・スキルとして幅広く反応がよいのが、「アサーティブ・コミュニケーション」です。

ビジネスはもちろん、プライベートでも、使っていただけると思います。

そして、あなたらしさにさらに磨きがかかることを期待しています。

最後に、本書の構成を担当していただいた大旗規子さん、ダイヤモンド社の寺田庸一さん、そして編集を通じて取材にご協力いただいた多くの方々にお世話になりました。

本当にありがとうございました。

参考文献

・Claire Walmsley著『Assertiveness』（BBC Books）
・Sam R. Lloyd著『Developing Positive Assertiveness』（Crisp Publications,Inc.）
・ロバート・E・アルベルティ／マイケル・L・エモンズ著、菅沼憲治／ミラー・ハーシャル訳『自己主張トレーニング』（東京図書）
・パメラ・E バトラー著／翻訳工房「とも」訳『女性の自己表現術』（創元社）
・C.G.ユング著／林道義訳『タイプ論』（みすず書房）
・福島哲夫『図解雑学 ユング心理学』（ナツメ社）

［著者］
大串亜由美（おおくし・あゆみ）
有限会社グローバリンク代表取締役。大学卒業後、日本ヒューレット・パッカード株式会社に入社。14年の人事部勤務において、採用/教育担当、女性活性化プロジェクトリーダー、海外派遣担当マネジャー、人事コミュニケーション・マネジャー、従業員意識調査プロジェクトリーダーを歴任。1988〜1990年、米国カリフォルニア州、ヒューレット・パッカード本社にて人事部門の仕事に携わるかたわら、国際コミュニケーションについて学ぶ。
その後、コンサルティング会社勤務を経て、1998年に有限会社グローバリンクを設立。「国際的規模での人材活用・人材育成」をキーワードに、異文化コミュニケーションから、マネジメント、接客販売など、ビジネスコミュニケーション全般の企業・団体研修、人材育成コンサルティング業務を手がける。
研修実績は、5年連続で年間250日を超え、2005年は「年間276日」を記録。

【おもな研修実績（一部）】
CHANEL、三井不動産、ソニーマーケティング、日本オラクル、京王電鉄、明治乳業、住友重機械、NECソフト、凸版印刷、新生銀行、虎屋、ほか多数。

http://www.globalink.jp

年間276日「研修女王」が教える
15秒でツカみ90秒でオトすアサーティブ交渉術

2006年6月8日　第1刷発行
2006年8月11日　第4刷発行

著　者——大串亜由美
発行所——ダイヤモンド社
〒150-8409　東京都渋谷区神宮前6-12-17
http://www.diamond.co.jp/
電話／03·5778·7232（編集）　03·5778·7240（販売）
装丁————重原隆
イラスト——神林美生
編集協力——大旗規子
DTP————デジカル デザイン室
製作進行——ダイヤモンド・グラフィック社
印刷————堀内印刷所（本文）・慶昌堂印刷（カバー）
製本————宮本製本所
編集担当——寺田庸二

ISBN 4-478-73325-2